# O admirável segredo do Santíssimo Rosário

**Dados Internacionais de Catalogação na Publicação (CIP)**
**(Câmara Brasileira do Livro, SP, Brasil)**

Luís Maria, de Montfort, Santo, 1673-1716
  O admirável segredo do Santíssimo Rosário : para se converter e se salvar / por S. Luís Maria Grignion de Montfort ; tradução de Maria Ferreira. – Petrópolis, RJ: Vozes, 2018.

Título original: Le secret admirable du très Saint Rosaire: pour se convertir et se sauver.

7ª reimpressão, 2024.

ISBN 978-85-326-5856-2

1. Espiritualidade  2. Mistérios do Rosário  3. Rosário  I. Título.

18-18094                                              CDD-242.74

Índices para catálogo sistemático:
1. Rosário : Orações : Cristianismo   242.74
2. Santo Rosário : Orações : Cristianismo   242.74

Maria Paula C. Riyuzo – Bibliotecária – CRB-8/7639

# O admirável segredo do Santíssimo Rosário

## Para se converter e se salvar

### S. Luís Maria Grignion de Montfort

Missionário apostólico, fundador da
Congregação dos Missionários da Companhia de
Maria e da Congregação das Filhas da Sabedoria

*Tradução de Maria Ferreira*

Petrópolis

Tradução do original em francês intitulado *Le Secret Admirable du Très Saint Rosaire pour se convertir et se sauver.*

© desta tradução:
2018, Editora Vozes Ltda.
Rua Frei Luís, 100
25689-900  Petrópolis, RJ
www.vozes.com.br
Brasil

Todos os direitos reservados. Nenhuma parte desta obra poderá ser reproduzida ou transmitida por qualquer forma e/ou quaisquer meios (eletrônico ou mecânico, incluindo fotocópia e gravação) ou arquivada em qualquer sistema ou banco de dados sem permissão escrita da editora.

**CONSELHO EDITORIAL**

**Diretor**
Volney J. Berkenbrock

**Editores**
Aline dos Santos Carneiro
Edrian Josué Pasini
Marilac Loraine Oleniki
Welder Lancieri Marchini

**Conselheiros**
Elói Dionísio Piva
Francisco Morás
Gilberto Gonçalves Garcia
Ludovico Garmus
Teobaldo Heidemann

**Secretário executivo**
Leonardo A.R.T. dos Santos

**PRODUÇÃO EDITORIAL**

Aline L.R. de Barros
Marcelo Telles
Mirela de Oliveira
Natália França
Otaviano M. Cunha
Priscilla A.F. Alves
Rafael de Oliveira
Samuel Rezende
Vanessa Luz
Verônica M. Guedes

*Editoração*: Ana Lucia Q.M. Carvalho
*Diagramação*: Sheilandre Desenv. Gráfico
*Revisão gráfica*: Alessandra Karl
*Capa*: Ygor Moretti
*Ilustração de capa*: Nossa Senhora do Rosário, Lorenzo Lotto, 1539 (detalhe). Galeria de arte municipal "D. Stefanucci", Itália.

ISBN 978-85-326-5856-2

Este livro foi composto e impresso pela Editora Vozes Ltda.

# Sumário

Rosa branca, 7

Rosa vermelha, 9

Roseira mística, 11

Botão de rosa, 12

Primeira dezena – A perfeição do Santo Rosário em sua origem e em seu nome, 14

Segunda dezena – A perfeição do Santo Rosário nas orações que o compõem, 36

Terceira dezena – A perfeição do Santo Rosário na meditação sobre a vida e a paixão de Nosso Senhor Jesus Cristo, 63

Quarta dezena – A perfeição do Santo Rosário nas maravilhas operadas por Deus em seu benefício, 92

Quinta dezena – A maneira santa de rezar o Rosário, 110

*Índice*, 145

# Rosa branca

1. Ministros do Altíssimo, pregadores da verdade, trombetas do Evangelho, com sua permissão apresento-lhes a rosa branca deste pequeno livro para que as verdades ali expostas penetrem em seus corações e em seus lábios de um jeito simples e sem rodeios. Em seus corações, para que iniciem a santa prática do Rosário e saboreiem seus frutos. Em seus lábios, para que preguem aos outros a excelência dessa prática e assim os convertam. Por favor, evitem considerá-la como algo insignificante e de poucos resultados, como fazem o homem comum e até mesmo alguns eruditos orgulhosos, pois ela é verdadeiramente grande, sublime e divina. Foi-nos dada pelo céu como um meio para converter os pecadores mais endurecidos e os hereges mais obstinados. Deus associou-lhe a graça nesta vida e a glória na outra. Foi praticada pelos santos e autorizada pelos soberanos pontífices. Oh! Como é bem-aventurado o padre ou o condutor de almas a quem o Espírito Santo revelou esse segredo que a maioria dos homens desconhece ou então só conhece superficialmente. Se assimilar o conhecimento prático, ele o rezará todos os dias e aconselhará os outros a fazerem

o mesmo. A fim de que seja um instrumento de sua glória, Deus e sua Santíssima Mãe derramarão abundantes graças em sua alma; e ainda que sua palavra seja simples, colherá mais frutos em um mês do que os outros pregadores em vários anos.

2. Portanto, meus caros confrades, não nos contentemos com aconselhá-lo aos outros; devemos também praticá-lo. Mesmo que nosso espírito esteja convencido da excelência do Santo Rosário, as pessoas darão pouca importância aos nossos conselhos se não o praticarmos, pois ninguém dá o que não tem: "Coepit Jesus facere et docere". Imitemos Jesus Cristo, que praticou o que ensinou. Imitemos São Paulo, que não conhecia e não pregava senão Jesus Cristo crucificado. E é isso que faremos ao pregar o Santo Rosário que, como verão abaixo, não é só uma sucessão de Pai-nossos e Ave-Marias, mas um divino resumo da vida, da paixão, da morte e da glória de Jesus e Maria. Deus concedeu-me a experiência da eficácia da pregação do Santo Rosário na conversão das almas, se acreditasse que ela poderia motivá-los a pregá-lo, apesar da moda contrária dos pregadores, eu contaria as maravilhosas conversões que presenciei ao pregar o Santo Rosário. Neste resumo, no entanto, contento-me em narrar algumas histórias antigas e bem documentadas, e também inseri várias

passagens em latim retiradas de bons autores que comprovam o que explico ao povo em francês.

## Rosa vermelha

3. É para vê-los florescer e salvá-los, pobres pecadores e pecadoras, que um pecador ainda maior oferece esta rosa tingida com o sangue de Jesus Cristo. Todos os dias os ímpios e os pecadores impenitentes gritam: "Coronemus nos rosis": coroemo-nos de rosas. Cantemos também: "Coroemo-nos com as rosas do Santo Rosário". Ah! Como suas rosas são diferentes das nossas: são prazeres carnais, honrarias vãs e riquezas passageiras, que logo estarão fenecidas e apodrecidas. As nossas – o Pai-nosso e a Ave-Maria bem rezados e também as boas obras de penitência – além de não fenecerem, nunca passarão e daqui a cem mil anos brilharão tão intensamente quanto hoje. Suas rosas falsas só se parecem com elas, mas no fundo não passam de espinhos que durante a vida espetam pelos remorsos da consciência; na hora da morte perfuram pelo arrependimento e por toda a eternidade queimam pela raiva e pelo desespero. Se nossas rosas têm espinhos, estes são os espinhos de Jesus Cristo que os converteu em rosas. Se elas espetam,

só o fazem por um tempo, e o fazem para nos curar do pecado e nos salvar.

4. Coroemo-nos com muitas dessas rosas do paraíso rezando todos os dias um Rosário, ou seja, três terços de cinco dezenas cada um, ou três pequenos chapéus de flores ou coroas: em primeiro, para honrar as três coroas de Jesus e de Maria: a coroa da graça de Jesus em sua encarnação, a coroa de espinhos em sua paixão e a coroa de glória no céu, e a tripla coroa que Maria recebeu da Santíssima Trindade no céu; em segundo, para receber de Jesus e de Maria três coroas: a de mérito durante a vida, a de paz na hora da morte e a de glória no paraíso. Se rezá-lo fiel e devotamente até a morte, creia-me que, apesar da extensão de seus pecados, receberá uma coroa de glória que jamais fenecerá: "Percipietis coronam immarcescibilem". Ainda que esteja à beira do abismo, tenha um pé no inferno, tenha vendido a alma ao diabo como um mágico, seja um herege endurecido e obstinado como um demônio, cedo ou tarde se converterá e se salvará. Mas com uma condição, e observe as palavras e os termos do conselho que vou repetir: desde que reze o Santo Rosário devotamente e todos os dias até a hora da morte para conhecer a verdade e obter a contrição e o perdão de seus pecados. Neste livro há várias histórias de grandes pecadores convertidos pela virtude do Santo Rosário. Leiam e meditem sobre elas. Deus só.

# Roseira mística

5. Almas devotas e iluminadas pelo Espírito Santo, vocês não desaprovarão se lhes der uma pequena roseira vinda do céu para plantá-la no jardim de suas almas; ela não prejudicará as flores perfumadas de suas contemplações, pois é muito cheirosa e divina; não prejudicará o arranjo de seu jardim, pois como é muito pura e bem organizada traz ordem e pureza. Se todos os dias for regada e cultivada como deve ser, alcançará uma altura tão prodigiosa e se tornará tão forte que além de não impedir outras devoções as conservará e as aperfeiçoará. Como são seres espirituais, vocês estão me compreendendo: essa roseira é Jesus e Maria na vida, na morte e na eternidade.

6. As folhas verdes dessa roseira mística expressam os mistérios gozosos; os espinhos, os mistérios dolorosos; as flores, os mistérios gloriosos de Jesus e de Maria. As rosas em botão são a infância de Jesus e Maria; as rosas entreabertas representam Jesus e Maria nos sofrimentos, e as rosas desabrochadas mostram Jesus e Maria em sua glória e em seu triunfo. A rosa encanta por sua beleza: eis Jesus e Maria nos mistérios gozosos; espeta com seus espinhos: ei-los nos mistérios dolorosos; cativa pela suavidade

de seu perfume: ei-los enfim nos mistérios gloriosos. Por isso não menosprezem minha roseira radiante e divina, plantem-na vocês mesmos em suas almas tomando a resolução de rezar o Rosário; cultivem-na e reguem-na rezando fielmente todos os dias e fazendo boas obras, e verão que com o passar do tempo esta semente que agora parece tão pequena tornar-se-á uma grande árvore onde os pássaros do céu, isto é, as almas predestinadas e elevadas em contemplação, farão seu ninho e sua morada para se protegerem dos ardores do Sol sob a sombra de suas folhas, para na sua altura se abrigarem dos animais ferozes da terra e, por fim, para serem delicadamente alimentadas pelo seu fruto que não é outro que o adorável Jesus, ao qual pertencem a honra e a glória por todos os séculos dos séculos. Amém. Assim seja. Deus só.

## Botão de rosa

7. Ofereço-lhes, minhas crianças, um belo botão de rosa. É uma das pequenas contas de seu terço e que lhes parece tão insignificante! Mas como é preciosa! Como é admirável esse botão de rosa! Como desabrochará completamente se rezarem devotamente a Ave-Maria! Seria um exagero aconselhar-lhes um

Rosário todos os dias. Rezem diariamente e com bastante devoção pelo menos um terço, que é um pequeno chapéu de rosas que vocês colocarão sobre a cabeça de Jesus e de Maria. Creiam-me, ouçam esta bela história e não a esqueçam.

8. Duas irmãs estavam na porta de casa rezando devotamente o terço quando apareceu uma senhora. Esta aproximou-se da mais jovem, que não tinha mais de seis ou sete anos, pegou-a pela mão e levou-a. Muito espantada, a irmã mais velha procurou-a, e como não a encontrasse retornou a casa e, aos prantos, contou que a tinham levado. Durante três dias os pais a procuraram inutilmente. Ao fim do terceiro dia, eles a encontraram na porta de casa com um rosto alegre e feliz; quando perguntaram de onde vinha, respondeu-lhes que a senhora para a qual rezava o terço a levara a um belo lugar, dera-lhe boas coisas para comer e colocara em seus braços uma linda criancinha que ela beijara muito. O pai e a mãe, que tinham se convertido recentemente à fé, chamaram o padre jesuíta que os instruíra na fé e na devoção ao Rosário, contaram-lhe o que se passara. E foi ele que nos relatou essa história que se passou no Paraguai. Imitem, minhas crianças, essas meninas. Como elas, rezem o terço todos os dias e assim merecerão ir ao paraíso e ver Jesus e Maria, se não durante a vida, pelo menos depois da morte,

por toda a eternidade. Assim seja. Que os sábios e os ignorantes, os justos e os pecadores, os grandes e os pequenos louvem e saúdem dia e noite Jesus e Maria, rezando o Santo Rosário: "Salutate Mariam, quae multum laboravit in vobis" (Rm 16,6).

# Primeira dezena
# A perfeição do Santo Rosário em sua origem e em seu nome

### 1ª rosa

9. O Rosário inclui duas coisas: a oração mental e a oração vocal. A oração mental do Santo Rosário não é senão a meditação sobre os principais mistérios da vida, da morte e da glória de Jesus Cristo e de sua Santíssima Mãe. A oração vocal consiste em rezar quinze dezenas de Ave-Marias, sendo cada dezena precedida por um Pai-nosso; em meditar e contemplar nos quinze mistérios do Santo Rosário as quinze principais virtudes praticadas por Jesus e Maria. No primeiro terço, que é de cinco dezenas, honra-se e medita-se sobre os cinco mistérios gozosos; no segundo, sobre os cinco mistérios dolorosos; no terceiro, sobre os cinco mistérios gloriosos. Desse modo, o Santo Rosário é a importante união da ora-

ção vocal e mental para honrar e imitar os mistérios e as virtudes da vida, da morte, da paixão e da glória de Jesus Cristo e de Maria.

### 2ª rosa

10. Como a base e a substância do Santo Rosário são a oração de Jesus Cristo e a Saudação Angélica, ou seja, o Pai-nosso e a Ave-Maria, mais a meditação dos mistérios de Jesus e de Maria, ele certamente constitui a primeira oração e a primeira devoção dos fiéis, e sua prática vem desde os apóstolos e os discípulos e se estende até hoje.

11. Mas só em 1214 o Santo Rosário, na forma e no método como o rezamos hoje, foi inspirado à sua Igreja e dado pela Santíssima Virgem a São Domingos com o objetivo de converter os hereges albigenses e os pecadores, assim como é relatado pelo Bem-aventurado Alain de la Roche em seu famoso livro intitulado *De Dignitate psalterii*. Vendo que os crimes dos homens dificultavam a conversão dos albigenses, São Domingos penetrou em uma floresta perto de Toulouse e ali passou três dias e três noites em contínua oração e penitência; como não parasse de gemer, de chorar e de mortificar o corpo com chicotadas a fim de apaziguar a cólera de Deus, acabou desfalecendo; a Santíssima Virgem apareceu, acompanhada de três princesas do céu, e disse-lhe: "Meu caro Domingos, você sabe qual foi a arma usada pela

Santíssima Trindade para reformar o mundo?" Ele respondeu: "Ó Senhora, vós sabeis melhor do que eu, porque depois de vosso Filho Jesus Cristo fostes o principal instrumento de nossa salvação". Ao que ela acrescentou: "Saiba que a principal arma foi o Saltério Angélico, que é o fundamento do Novo Testamento; por isso se quiser conquistar para Deus esses corações endurecidos pregue meu Saltério". O santo se levantou muito consolado, e inflamado pelo zelo da salvação desses povos entrou na catedral; no mesmo instante os anjos fizeram repicar os sinos a fim de reunir os habitantes, e no início da pregação ergueu-se uma terrível tempestade, a terra tremeu, o céu escureceu, os intensos trovões e raios fizeram empalidecer e estremecer todos os ouvintes; e ficaram ainda mais aterrorizados quando olharam para o alto e viram uma imagem da Santíssima Virgem erguer os braços três vezes em direção ao céu para pedir a vingança de Deus contra eles, caso não se convertessem e não recorressem à proteção da Santa Mãe de Deus. Com esses prodígios, o céu desejava aumentar a nova devoção ao Santo Rosário e torná--la mais conhecida. Graças às preces de São Domingos, a tempestade finalmente terminou; ele prosseguiu seu discurso e explicou com tanto fervor e força a excelência do Santo Rosário que quase todos os habitantes de Toulouse o aceitaram e renunciaram aos seus erros, e em pouco tempo observou-se uma grande mudança de hábitos e de vida na cidade.

### 3ª rosa

12. Este estabelecimento milagroso do Santo Rosário tem certa relação com a maneira pela qual Deus deu sua lei ao mundo no Monte Sinai e, evidentemente, mostra a excelência dessa divina prática. São Domingos, inspirado pelo Espírito Santo, instruído pela Santíssima Virgem e valendo-se de sua própria experiência, passou o resto da vida pregando o Santo Rosário por meio do exemplo e de sermões nas cidades e nos campos, para os grandes e os pequenos, os sábios e os ignorantes, os católicos e os hereges. O Santo Rosário, que rezava todos os dias, era sua preparação para a pregação e seu compromisso depois de terminá-la.

13. Enquanto se preparava para pregar na Notre-Dame de Paris, no Dia de São João o Evangelista, e rezava o Santo Rosário em uma capela atrás do altar-mor, a Santíssima Virgem apareceu e disse-lhe: "Domingos, embora o sermão por você preparado seja bom, trago-lhe um muito melhor". São Domingos recebeu de suas mãos o livro com o sermão, leu-o com atenção e quando o compreendeu rendeu graças à Santíssima Virgem. Chegada a hora do sermão, dirigiu-se ao púlpito e a única coisa que disse

em louvor a São João o Evangelista foi que ele merecera ser o guardião da Rainha do céu. Mas para toda a assembleia dos grandes e dos doutores que vieram ouvi-lo – acostumados apenas aos discursos curiosos e polidos – disse que não falaria com as palavras eruditas da sabedoria humana e sim com a simplicidade e a força do Espírito Santo. Pregou-lhes então o Santo Rosário e, como se fossem crianças, explicou a Saudação Angélica palavra por palavra servindo-se das comparações muito simples que lera no livro ofertado pela Santíssima Virgem.

14. Eis as palavras do sábio de Cartagena retiradas em parte do livro do Bem-aventurado Alain de la Roche intitulado *De Dignitate psalterii*: B. Alanus Patrem sanctum Dominicum sibi haec in revelatione dixisse testatur: "Tu praedicas, fili, sed uti caveas ne potius laudem humanam quaerans quam animarum fructum, audi quid mihi Parisiis contigit. Debebam in majori ecclesia beatae Mariae praedicare, et volebam curiose non jactantiae causa, sed propter astantium facultatem et dignitatem. Cum igitur more meo per horam fere ante sermonem in psalterio meo (Rosarium intelligit) quadam capilla post altare majus orarem, subito factus in raptum, cernebam amicam meam Dei Genitricem afferentem mihi libellum et dicentem: 'Dominice, et si bonum est quod praedicare disposuisti sermonem, tamen longe meliorem

attuli'. Laetus librum capio, lego constanter, ut dixit, reperio, gratias ago, adest hora sermonis, adest parisiensis Universitas tota, dominorumque numerus magnus. Audiebant quippe et videbant signa magna quae per me Dominus operabatur; itaque ambonem ascendo. Festum est sancti Joannis Evangelistae. De eo aliud non dico nisi quod custos singularis esse meruit Reginae coeli. Deinde auditores sic alloquor: Domini et Magistri praestantissimi, aures reverentiae vestrae solitae sunt curiosos audire sermones et auscultare. At nunc ego non in doctis humanae sapientiae verbis, sed in ostentione spiritus et virtutis loquar". Tunc, ait Carthagena post beatum Alanum, stans Dominicus eis explicavit Salutationem angelicam comparationibus et similitudinibus familiaribus hoc modo.

15. O Bem-aventurado Alain de la Roche, segundo o mesmo Cartagena, relatou várias outras aparições de Nosso Senhor e da Santíssima Virgem a São Domingos para incentivá-lo e animá-lo cada vez mais a pregar o Santo Rosário, a fim de destruir o pecado e converter os pecadores e os hereges. Ele diz em um trecho: "Beatus Alanus dicit sibi a beata Virgine revelatum fuisse Christum Filium suum apparuisse post se sancto Dominico et ipsi dixesse: 'Dominice, gaudeo quod non confidas in tua sapientia, sed cum humilitate potius affectas salvare animas quam vanis

hominibus placere. Sed multi praedicatores statim volunt contra gravissima peccata instare, ignorantes quod ante gravem medicinam debet fieri praeparatio, ne medicina sit inanis et vacua: quapropter prius homines debent induci ad orationis devotionem et signanter ad psalterium meum angelicum; quoniam, si omnes coeperint hoc orare, non dubium est quin perseverantibus aderit pietas divinae clementiae. Praedica ergo psalterium meum"".

16. E em outro trecho: "Omnes sermocinantes et praedicantes christicolis exordium pro gratia impetranda a Salutatione angelica faciunt. Hujus rei ratio sumpta est ex revelatione facta beato Dominico cui beata Virgo dixit: 'Dominice, fili, nil mireris quod concionando minime proficias. Enimvero aras solum a pluvia non irrigatum. Scitoque, cum Deus renovare decrevit mundum Salutationis angelicae pluviam praemisit; sicque ipse in melius est reformatus. – Hortare igitur homines in concionibus ad Rosarii mei recitationen, et magnos animarum fructus colliges.' Quod sanctus Dominicus strenue executus uberes ex suis concionibus animarum fructus retulit".

17. Foi com alegria que relatei palavra por palavra essas passagens em latim desses bons autores para os pregadores e as pessoas sábias que poderiam duvidar da maravilhosa virtude do Santo Rosário.

Durante o tempo em que os pregadores seguiram o exemplo de São Domingos e pregaram a devoção ao Santo Rosário, a piedade e o fervor floresceram tanto nas ordens religiosas que a praticavam quanto no mundo cristão; mas assim que esse presente vindo do céu começou a ser negligenciado, só vimos pecados e desordens em toda parte.

### 4ª rosa

18. Como dependem sobretudo da vontade dos homens, todas as coisas, mesmo as mais santas, estão sujeitas às mudanças. Por isso não surpreende que o fervor inicial observado na instituição da confraria do Santo Rosário só tenha durado cem anos, depois foi praticamente enterrado e esquecido. Além disso, a malícia e a inveja do demônio certamente contribuíram para que o Santo Rosário fosse negligenciado e assim detivesse o curso das graças de Deus que essa devoção atraía para o mundo. No ano de 1349, com efeito, a justiça divina afligiu todos os reinos da Europa com a mais terrível peste jamais vista. Peste que se espalhou do Levante para toda a Itália, a Alemanha, a França, a Polônia, a Hungria, e então quase todas essas terras foram devastadas, pois de cem homens apenas um restava vivo; as cidades, os burgos, as aldeias e os mosteiros foram completamente abandonados durante os três anos de duração dessa epide-

mia. E esse flagelo de Deus foi seguido de dois outros: a heresia dos flagelantes e o funesto cisma de 1376.

19. Depois que, pela misericórdia de Deus, essas misérias cessaram, a Santíssima Virgem ordenou ao Bem-aventurado Alain de la Roche – célebre doutor e pregador da Ordem de São Domingos do convento de Dinan na Bretanha – que renovasse a antiga confraria do Santo Rosário. A honra de restabelecê-la foi dada a esse religioso porque a célebre confraria havia nascido nessa província. De acordo com suas palavras, ele começou a trabalhar na grande obra em 1460, depois de Nosso Senhor Jesus Cristo ter--lhe dito, durante a celebração da Santa Missa e no momento da Sagrada Hóstia, que pregasse o Santo Rosário: "Então?", disse-lhe Jesus, "você me crucifica novamente!" "Como? Senhor", respondeu-lhe bastante assustado o Bem-aventurado Alain. "São os pecados que me crucificam", respondeu-lhe Jesus, "e preferiria ser crucificado mais uma vez do que ver meu Pai ofendido pelos pecados que você cometeu outrora. E continua a me crucificar porque tem o conhecimento e o que é necessário para pregar o Rosário de minha Mãe e assim instruir e afastar várias almas do pecado, salvando-as e impedindo grandes males; e como não o faz é culpado dos pecados que eles cometem". Essas terríveis recriminações fizeram

com que o Bem-aventurado Alain decidisse pregar constantemente o Rosário.

20. Para inspirá-lo a pregar ainda mais o Santo Rosário, a Santíssima Virgem também lhe disse um dia: "Você foi um grande pecador na juventude, mas obtive de meu filho sua conversão. Rezei por você e desejei para mim, se isso fosse possível, todos os sofrimentos a fim de salvá-lo, pois os pecadores convertidos são minha glória, e a fim de torná-lo digno de pregar meu Rosário em toda parte". Ao descobrir os grandes frutos que colhera entre os povos com a pregação contínua dessa bela devoção, São Domingos também lhe dizia: "Vides quomodo profecerim in sermone isto; id etiam facies et tu, et omnes Mariae amatores, ut sic trahatis omnes populos ad omnem scientiam virtutum". "Veja o fruto que colhi com a pregação do Santo Rosário. Façam o mesmo, você e todos os outros que amam a Santíssima Virgem, para que com o santo exercício do Rosário atraiam todos os povos à verdadeira ciência das virtudes". Eis em resumo o que a história nos ensina sobre o estabelecimento do Santo Rosário por São Domingos e sobre sua renovação feita pelo Bem-aventurado Alain de la Roche.

**5ª rosa**
21. A bem da verdade, só há um tipo de confraria do Rosário composto de cento e cinquenta Ave-Ma-

rias; mas em relação ao fervor das diferentes pessoas que o praticam há três tipos: o Rosário comum ou ordinário, o Rosário perpétuo e o Rosário diário. A confraria do Rosário ordinário exige que ele seja rezado só uma vez por semana. A do Rosário perpétuo só uma vez por ano, mas a do Rosário diário pede que seja rezado todos os dias por inteiro, isto é, cento e cinquenta Ave-Marias. Deixar de rezar qualquer um deles não é considerado pecado – nem mesmo venial – porque esse compromisso é voluntário e não obrigatório; mas só devem entrar para a confraria aqueles que têm a firme vontade de rezá-lo conforme o determinado e tanto quanto possível sem deixar de lado suas obrigações do dia a dia. Sendo assim, quando a recitação do Santo Rosário coincidir com uma atividade da vida cotidiana, deve-se preferir esta atividade ao Rosário, por mais santo que ele seja. Uma pessoa doente não é obrigada a rezá--lo nem todo nem em parte caso a prática aumente sua dor. Não há nenhum pecado, nem mesmo venial, quando não se conseguir rezá-lo por causa de um compromisso legítimo, de um esquecimento involuntário ou de uma necessidade premente. As pessoas não deixarão de participar das graças e dos méritos dos outros irmãos e irmãs do Santo Rosário que o rezam pelo mundo. Cristão, mesmo se deixar de rezá-lo por pura negligência, mas sem nenhum desprezo formal, você também não estará pecando, absolutamente falando, mas perderá a participação nas orações e nas boas obras e méritos da confraria. E pela infidelidade nas coisas pequenas e não obrigatórias cairá pouco a pouco na infidelidade nas grandes coisas e de obrigação essencial, pois: "Qui spernit modica paulatim decidet".

### 6ª rosa

22. Desde os tempos em que São Domingos a estabeleceu e até 1460 – quando por ordem do céu foi renovada pelo Bem-aventurado Alain de Roche – essa devoção é chamada de saltério de Jesus e da Santíssima Virgem. É assim chamada porque o número de Ave-Marias é idêntico ao dos Salmos de Davi, e porque os simples e os ignorantes que não podem recitá-los encontram na reza do Santo Rosário um fruto igual ao obtido pela recitação dos Salmos de Davi, e até mesmo um mais abundante, como exponho a seguir:

1) O saltério angélico tem um fruto mais nobre, ou seja, o Verbo encarnado, ao passo que o livro de Salmos de Davi só o prenuncia;

2) Como a verdade vai além da figura e o corpo vai além da sombra, assim também o saltério da Santíssima Virgem vai além dos Salmos de Davi, que não passou de sua sombra e de sua figura;

3) Desde o início, a Santíssima Trindade fez o saltério da Santíssima Virgem, ou o Rosário, com-

posto de Pai-nossos e de Ave-Marias. Eis o que o sábio de Cartagena relata sobre este assunto: "Sapientissimus Aquensis, libro ejus de Rosacea Corona ad Imperatorun Maximilianum conscripto, dicit: 'Salutandae Mariae ritus novitiis inventis haud quaquam adscribitur. Si quidem cum ipsa pene ecclesia pullulavit; nam cum inter ipsa nascentis ecclesiae primordia, perfectiores quoque fideles tribus illis Davidicorum psalmorum quinquagenis, divinas laudes assidue celebrarent, ad rudiores quoque qui modo arctius divinis vacabant piis moris aemulatio est derivata... rati id quod erat, cuncta illorum sacramenta psalmorum in coelesti hoc elogio delitescere, si quidem eum quem psalmi venturum concinunt, hunc jam adesse, haec formula nuntiavit; sicque trinas salutationum quinquagenas "Mariae Psalterium" appellare coeperunt, oratione utique dominica in singulas decades ubique preposita prout a psalmidicis observari ante adverterunt'".

23. O saltério ou o Rosário da Santíssima Virgem é dividido em três terços de cinco dezenas cada um:

1) Para honrar as três pessoas da Santíssima Trindade.

2) Para honrar a vida, a morte e a glória de Jesus Cristo.

3) Para imitar a Igreja triunfante, ajudar a militante e aliviar a sofredora.

4) Para imitar as três partes dos Salmos, sendo a primeira para a via purgativa, a segunda para a via iluminativa e a terceira para a via unificativa.

5) Para nos encher de graças durante a vida, de paz na hora da morte e de glória na eternidade.

### 7ª rosa

24. Desde que o Bem-aventurado Alain de la Roche renovou essa devoção, a voz do povo – que é a voz de Deus – chamou-o de Rosário, que significa coroa de rosas. Ou seja, todas as vezes que as pessoas rezam o Rosário devotamente colocam sobre a cabeça de Jesus e a de Maria uma coroa de 153 rosas brancas e 16 rosas cor-de-rosa, as quais jamais perderão a beleza ou o brilho. A Santíssima Virgem aprovou e confirmou esse nome; revelou a várias pessoas que sempre que rezavam Ave-Marias em sua honra presenteavam-lhe com a mesma quantidade de agradáveis rosas e com a mesma quantidade de coroas de rosas quanto a de Rosários rezados.

25. O irmão jesuíta Alphonse Rodriguez rezava o Rosário com tanto fervor que era comum ver-lhe sair da boca uma rosa vermelha a cada Pai-nosso e uma rosa branca a cada Ave-Maria, rosas de cores diferentes, mas de igual beleza e perfume. As crôni-

cas de São Francisco relatam que um jovem religioso tinha o louvável costume de rezar o Rosário antes da refeição. Um dia, por algum incidente, ele não o fez; como o sino anunciando o jantar já havia tocado, pediu ao superior a permissão para rezá-lo antes de sentar-se à mesa. Com a permissão, foi para sua cela; mas como demorasse muito, o superior enviou um religioso para chamá-lo. Ao entrar no quarto, o religioso o viu banhado por uma luz celestial, e junto dele a Santíssima Virgem acompanhada por dois anjos; assim que recitava uma Ave-Maria, uma bela rosa saía de sua boca, era então recolhida pelos anjos que a colocavam sobre a cabeça da Santíssima Virgem, que dessa forma testemunhava sua aprovação. Dois outros religiosos enviados para ver o porquê do atraso dos dois primeiros também presenciaram todo esse mistério, e a Virgem Santíssima só se retirou depois de completado o Rosário. Ele é, portanto, uma grande coroa e o terço um pequeno chapéu de flores ou uma pequena coroa de rosas celestiais que colocamos sobre a cabeça de Jesus e de Maria. A rosa é a rainha das flores, assim como o Rosário é a rosa e a primeira das devoções.

### 8ª rosa

26. É impossível expressar o quanto a Santíssima Virgem estima o Rosário acima de todas as devoções e o quanto é magnífica para recompensar aqueles

que trabalham para pregá-lo, estabelecê-lo e cultivá-lo; mas, ao contrário, o quanto é terrível contra aqueles que desejam a ele se opor. Ao longo de sua vida, São Domingos não teve outro desejo senão o de louvar a Santíssima Virgem, de pregar suas grandezas e de animar a todos a honrá-la com o Rosário. A poderosa Rainha do Céu também não deixou de espalhar sobre este santo suas generosas bênçãos; coroou seu trabalho com mil prodígios e milagres, ele nunca pediu algo a Deus que não tenha obtido pela intercessão da Santíssima Virgem; e a maior honra foi tê-lo feito vitorioso sobre a heresia dos albigenses e tê-lo tornado o padre e o patriarca de uma grande ordem.

27. Quanto ao Bem-aventurado Alain de la Roche, o que eu poderia dizer sobre o restaurador dessa devoção? Várias foram as ocasiões em que a Santíssima Virgem o honrou com sua visita a fim de instruí-lo com os meios para sua salvação, para que se tornasse um bom padre, um perfeito religioso e um imitador de Jesus Cristo. Durante as tentações e as terríveis perseguições feitas pelos demônios – que o reduziam a uma extrema tristeza e quase o levavam ao desespero – ela o consolava e dissipava todas essas nuvens e trevas com sua doce presença. Ensinou-lhe como rezar o Rosário, suas perfeições e seus frutos. Agraciou-o com a gloriosa qualidade

de seu novo esposo, e como testemunho de seus castos afetos colocou-lhe no dedo um anel, em volta do pescoço um colar feito de seus cabelos e deu-lhe um Rosário. Muitos foram os elogios tecidos pelo Abade Tritêmio, pelo douto Cartagena, pelo sábio Martin Navarre e por tantos outros. Depois de ter atraído mais de cem mil pessoas para a confraria do Rosário, Alain de la Roche morreu em Zwolle, em Flandres, no dia 8 de setembro de 1475.

28. Invejoso dos grandes frutos que o Bem-aventurado Thomas de Saint-Jean, célebre pregador do Rosário, alcançava com essa prática, o demônio com seus maus tratos reduziu-o a uma longa e incômoda doença que os médicos desistiram de curar. Uma noite em que pensou que morreria, o demônio apareceu-lhe sob uma forma pavorosa; mas erguendo os olhos e o coração diretamente para uma imagem da Santíssima Virgem que estava perto de sua cama, ele gritou com toda sua força: "Ajude-me, socorra-me, minha doce Mãe!" Tão logo disse essas palavras a imagem da Santíssima Virgem estendeu-lhe a mão e apertando-lhe o braço disse: "Não tema, meu filho Thomas, estou aqui para socorrê-lo, levante-se e continue pregando a devoção de meu Rosário como assim o fazia. Eu o defenderei contra todos os inimigos". Ao ouvir essas palavras, o diabo fugiu. O doente se levantou em perfeita saúde, com uma profusão de

lágrimas rendeu graças à sua boa Mãe e continuou pregando o Rosário com um maravilhoso sucesso.

29. A Santíssima Virgem não beneficia somente os pregadores do Rosário, também recompensa gloriosamente aqueles que com seu exemplo atraem os outros a essa devoção. Afonso, rei de Leão e de Galícia, desejava que todos os seus empregados honrassem a Santíssima Virgem rezando o Rosário. Para estimulá-los pelo exemplo e assim motivar todas as pessoas de sua corte a rezá-lo devotamente, decidiu carregar um grande Rosário – que ele não rezava, no entanto. O rei caiu gravemente doente e, quando já o davam por morto, foi em espírito levado até o tribunal de Jesus Cristo. Viu os diabos que o acusavam de todos os crimes que ele cometera, e o juiz estava a ponto de condená-lo às penas eternas quando a Santíssima Virgem se apresentou para interceder por ele diante de seu Filho; trouxeram uma balança, colocaram todos os pecados do rei em um dos pratos e a Santíssima Virgem colocou o pesado Rosário que ele carregara em sua honra junto com aqueles que mandara rezar em honra dela. E o peso deles era maior do que o de todos os seus pecados. E dirigindo-lhe um olhar benevolente, disse-lhe: "Como recompensa do pequeno favor que me fez usando o Rosário, obtive de meu Filho o prolongamento de sua vida por alguns anos, empregue-os bem e se penitencie".

Ao retornar desse encantamento, o rei exclamou: "Ó bem-aventurado Rosário da Santíssima Virgem, pelo qual fui libertado da danação eterna". Depois de recuperar a saúde, passou o resto de sua vida na devoção ao Santo Rosário e o rezava todos os dias. A exemplo desses santos e desse rei, que os devotos da Santíssima Virgem se dediquem a conquistar o maior número possível de fiéis para a confraria do Santo Rosário, e terão suas boas graças na vida terrena e na vida eterna. Qui elucidant me vitam aeternam habebunt.

### 9ª rosa

30. Mas vejamos agora como é injusto impedir o avanço da confraria do Santo Rosário e quais são os castigos com os quais Deus puniu vários infelizes que a desprezaram e desejaram destruí-la. Embora a devoção ao Santo Rosário tenha sido autorizada pelo céu por meio de vários prodígios e tenha sido aprovada pela Igreja por várias bulas papais, há nesta época muitos libertinos ímpios e espíritos fortes que se dedicam a menosprezá-la ou a afastar dela os fiéis. É fácil reconhecer que suas línguas estão infectadas com o veneno do inferno e que estão seduzidos pelo espírito maligno, pois ninguém pode desaprovar a devoção ao Santo Rosário sem condenar o que há de mais piedoso na religião cristã: o Pai-nosso, a Ave--Maria, os mistérios da vida, da morte e da glória

de Jesus Cristo e de sua Santa Mãe. Sem perceber, esses espíritos fortes que não suportam que se reze o Rosário geralmente trilham o mesmo caminho dos hereges que execram o terço e o Rosário. Desprezar as confrarias é se distanciar de Deus e da verdadeira piedade, pois Jesus Cristo nos garante que está no meio daqueles que se reúnem em seu nome. Negligenciar tantas e importantes indulgências concedidas pela Igreja às confrarias não é ser um bom católico; dissuadir os fiéis de pertencer ao Santo Rosário é, afinal, ser inimigo da salvação das almas, uma vez que por esse meio elas abandonam o pecado para abraçar a piedade. Se São Boaventura estava certo ao dizer que aquele que tiver negligenciado a Santíssima Virgem morrerá em seu pecado e será condenado: "Qui negligerit illam morietur in peccatis suis" (in psalterio suo), quais castigos devem esperar aqueles que desviam os outros de sua devoção!

### 10ª rosa

31. Quando São Domingos pregava essa devoção em Carcassone, havia um herege que ridicularizava os milagres e os quinze mistérios do Santo Rosário, impedindo assim a conversão de outros hereges. Para punir esse ímpio, Deus permitiu que quinze mil demônios entrassem em seu corpo; seus familiares o levaram até o Bem-aventurado Padre para que o livrasse desses espíritos malignos. São Domingos co-

meçou a rezar o Rosário e exortou toda a confraria a fazer o mesmo e bem alto, e então a cada Ave-Maria a Santíssima Virgem fazia sair do corpo desse herege cem demônios em forma de carvões ardentes. Depois de se ver livre, o ímpio abjurou seus erros, converteu-se e entrou para a confraria do Rosário, assim como vários de sua seita que se comoveram com esse castigo e com a virtude do Rosário.

32. Tanto o douto Cartagena, da Ordem de São Francisco, quanto vários autores relatam que em 1482, quando o venerável Padre Jacques Sprenger e seus religiosos trabalhavam com muito afinco para o restabelecimento da devoção e da confraria do Santo Rosário na cidade de Colônia, dois famosos pregadores, invejosos dos grandes frutos obtidos com essa prática, começaram a depreciá-la em seus sermões, e como eram talentosos e muito considerados conseguiam dissuadir muitas pessoas de entrar na confraria. Para conseguir realizar seu pernicioso intento, um desses pregadores preparou um sermão especial para o domingo. A hora do sermão chegou e o pregador não apareceu; esperaram-no, foram procurá-lo e, por fim, encontraram-no morto sem que ninguém o tivesse socorrido. Convencido de que esse acidente fora natural, o outro pregador resolveu substituí-lo para abolir a confraria do Rosário. Quando chegou o dia e a hora do sermão, Deus o castigou com uma

paralisia que o impediu de se movimentar e de falar. Ele reconheceu seu erro e o de seu companheiro, recorreu à Santíssima Virgem em seu coração, prometendo-lhe pregar em toda parte o Rosário com a mesma intensidade com que o combatera. Pediu-lhe então que lhe devolvesse a saúde e a fala, o que lhe foi concedido; e vendo-se subitamente curado levantou-se e, como um outro Saulo, de perseguidor tornou-se defensor do Santo Rosário. Reconheceu publicamente seu erro, e com muito zelo e eloquência pregou a sua perfeição.

33. Como sempre fazem, tenho certeza de que ao lerem as histórias deste pequeno tratado os espíritos fortes e os críticos de nossos dias não deixarão de duvidar delas, ainda que eu só as tenha transcrito de autores contemporâneos muito bons e especialmente de um livro intitulado *A Roseira mística*, recentemente composto pelo Padre Antonin Thomas, da ordem dos irmãos pregadores. Todos sabem que há três tipos de fé nas diferentes histórias. Devemos às das Sagradas Escrituras uma fé divina; às profanas que não contradizem a razão e foram escritas por bons autores, uma fé humana; e às piedosas relatadas por bons autores e que não são contrárias à razão, à fé nos bons costumes, ainda que por vezes extraordinárias, uma fé piedosa. Confesso que não devemos ser nem demasiado crédulos nem demasiado críticos, e

que para encontrar o ponto da verdade e da virtude é preciso seguir o caminho do meio. Também sei, no entanto, que assim como a caridade facilmente nos leva a crer em tudo que não é contrário à fé nem aos bons costumes – Charitas omnia credir – assim também o orgulho nos leva a negar quase todas as histórias bem confirmadas a pretexto de que não estão nas Sagradas Escrituras. Esta é a armadilha de satanás onde caíram os hereges que negam a tradição, e onde caem insensivelmente os críticos de hoje quando não acreditam no que não compreendem ou no que não os satisfaz, sem outra razão que o orgulho e a autossuficiência do espírito.

## Segunda dezena
## A perfeição do Santo Rosário nas orações que o compõem

### 11ª rosa

34. O Credo, ou o Símbolo dos Apóstolos, que é rezado no crucifixo do Rosário ou do terço, é um atalho sagrado e resumido das verdades cristãs, é uma oração de grande mérito porque a fé é a base, o fundamento e o princípio de todas as virtudes cristãs, de todas as virtudes eternas e de todas as orações

que são do agrado de Deus: "Accedentem ad Deum credere oportet". Quem se aproxima de Deus pela oração deve primeiro crer, e quanto maior sua fé, maior a força e o mérito da própria oração e também da glória dada a Deus. Não me alongarei na explicação das palavras do Símbolo dos Apóstolos, mas não posso deixar de mencionar que as três primeiras palavras – "Creio em Deus" – contêm os atos das três virtudes teologais: a fé, a esperança e a caridade, e têm uma eficácia maravilhosa para santificar a alma e aniquilar o demônio. Foi com essas palavras, pronunciadas quer ao longo da vida quer na hora da morte, que vários santos venceram as tentações, sobretudo aquelas contra a fé, a esperança ou a caridade. Essas foram as últimas palavras que São Pedro, o Mártir, conseguiu escrever sobre a areia, quando estava quase expirando depois de ter a cabeça fendida ao meio por um golpe de sabre dado por um herege.

35. Como a fé é a única chave que pode nos dar acesso a todos os mistérios de Jesus e de Maria contidos no Santo Rosário, o Credo é a primeira oração e deve ser feita com grande atenção e devoção, e quanto mais forte a nossa fé, mais meritório o Rosário. Essa fé deve ser forte e motivada pela caridade: para rezá-lo corretamente é preciso estar na graça de Deus ou na busca dessa graça; a fé deve ser forte e constante: não se deve procurar na prática do San-

to Rosário apenas seu prazer sensível e seu consolo espiritual, ou seja, não se deve abandoná-la porque o espírito está ocupado com uma infinidade de distrações involuntárias, porque temos uma estranha tristeza na alma, um tédio inoportuno e uma letargia quase contínua no corpo; para se rezar corretamente o Santo Rosário não é preciso prazer ou consolo, suspiros ou arrebatamentos, lágrimas ou controle contínuo da imaginação. Bastam a fé pura e a boa intenção: "Sola fides sufficit".

## 12ª rosa

36. O principal valor do Pai-nosso, ou Oração dominical, está em seu autor, que não é um homem ou um anjo e sim Jesus Cristo, o Rei dos anjos e dos homens. "Era necessário", diz São Cipriano, "que Aquele que veio como Salvador nos dar a vida da graça nos ensinasse como Mestre celestial a maneira de rezar". A sabedoria desse divino Mestre transparece na ordem, na doçura, na força e na clareza dessa divina prece, que mesmo curta é rica em ensinamentos, compreensível para os simples e cheia de mistérios para os sábios. O Pai-nosso contém todos os deveres que temos para com Deus, os atos de todas as virtudes e os pedidos de todas as nossas necessidades espirituais e corporais. Contém, como diz Tertuliano, o resumo do Evangelho. Supera, como disse Tomás de Kempis, todos os desejos dos santos, contém

um resumo de todas as doces sentenças dos salmos e dos cânticos; pede tudo o que nos é necessário; louva a Deus de um modo excelente; eleva a alma da terra ao céu e a une estreitamente com Deus.

37. São Crisóstomo disse que aquele que não reza como o divino Mestre rezou e ensinou a rezar não é seu discípulo, e Deus Pai não ouve com satisfação as orações criadas pelo espírito humano, mas sim as ensinadas pelo seu Filho. Devemos rezar o Pai-nosso com a certeza de que o Pai eterno o ouvirá, pois sempre ouve a prece de seu Filho, e de que somos seus membros; pois como um Pai tão generoso pode recusar um pedido tão bem concebido e apoiado nos méritos e na recomendação de um Filho tão digno? Santo Agostinho garante que o Pai-nosso bem rezado apaga os pecados veniais. O justo cai sete vezes. No Pai-nosso há sete pedidos para que possa enfrentar suas quedas e se fortalecer contra seus inimigos. Como somos frágeis e sujeitos a várias misérias, a oração é curta e fácil para que ao rezá-la com mais frequência e mais devotamente recebamos um socorro rápido.

38. Abandonem, pois, as ilusões, almas devotas que negligenciam a Oração que o próprio Filho de Deus compôs e recomendou a todos os fiéis. Vocês só valorizam as preces compostas pelos homens, como

se até o mais esclarecido deles soubesse melhor do que Jesus Cristo como devemos rezar. Procuram nos livros dos homens a maneira de louvar e de rezar a Deus, como se tivessem vergonha de se servir daquela que seu Filho nos prescreveu. Persuadem-se de que as orações que estão nos livros são para os sábios e para os ricos, e que o Rosário se destina apenas às mulheres, às crianças e ao povo, como se os louvores e os pedidos que leem fossem mais belos e mais agradáveis a Deus do que aqueles contidos no Pai-nosso. Trocar a Oração recomendada por Jesus pelas orações compostas pelos homens não passa de uma perigosa tentação. Não é que desaprovemos as que os santos compuseram para estimular os fiéis a louvar Deus, mas não podemos suportar que a prefiram ao Pai-nosso que saiu dos lábios da Sabedoria encarnada, que abandonem a fonte para correr atrás dos riachos, que desdenhem a água límpida para beber a água turva. Pois, enfim, o Rosário composto do Pai-nosso e da Ave-Maria é esta água límpida e perpétua que corre da fonte da graça, ao passo que as outras orações que buscam nos livros não passam de pequenos riachos que dela derivam.

39. Podemos chamar bem-aventurado aquele que ao rezar o Pai-nosso aprecia cuidadosamente cada palavra, pois nele encontra tudo de que precisa, tudo o que pode desejar. É sobretudo o coração de Deus

que cativamos quando ao rezar essa admirável oração o invocamos pelo doce nome de Pai. "Pai-nosso", o mais terno de todos os pais, todo-poderoso na criação, admirável em sua conservação, amável em sua Providência, generoso e infinitamente bom em sua Redenção. Deus é nosso Pai, somos todos irmãos, o céu é nossa pátria e nossa herança. Isso não basta para nos inspirar tanto o amor de Deus quanto o amor ao próximo e o desapego de todas as coisas terrenas? Então amemos esse Pai e digamos mil vezes: "PAI-NOSSO QUE ESTAIS NOS CÉUS". Vós que preencheis o céu e a terra com a imensidão de vossa essência, que estais em toda parte; Vós que estais nos santos por vossa glória, nos condenados por vossa justiça, nos justos por vossa graça, nos pecadores por vossa paciência que os suporta, fazei com que nos lembremos sempre de nossa origem celestial, que vivamos como vossos verdadeiros filhos, que sempre nos dirijamos só a Vós com todo o ardor de nossos desejos. "SANTIFICADO SEJA O VOSSO NOME". O nome do Senhor é santo e temível, diz o Profeta Davi, e o céu, segundo Isaías, ecoa incessantemente os louvores dos serafins à santidade do Senhor, Deus dos exércitos. Pedimos assim que o mundo conheça e adore os atributos desse Deus tão poderoso e tão santo; que seja conhecido, amado e adorado pelos pagãos, pelos turcos, pelos judeus, pelos bárbaros e por todos os infiéis; que todos os homens o sirvam e o glorifiquem por uma fé viva, por uma esperança firme, por uma caridade ardente e por uma renúncia a todos os erros. Em poucas palavras: que todos os homens sejam santos porque ele próprio o é. "VENHA A NÓS O VOSSO REINO". Que ao longo da vida reineis em nossas almas por vossa graça para que depois da morte mereçamos reinar convosco em vosso reino, que é a soberana e eterna felicidade; que acreditemos, esperemos e aguardemos essa felicidade que nos é prometida pela bondade do Pai, que nos foi conquistada pelos méritos do Filho e nos é revelada pelas luzes do Espírito Santo. "SEJA FEITA A VOSSA VONTADE, ASSIM NA TERRA COMO NO CÉU". Sem dúvida, nada pode se esquivar das disposições da Providência divina, que tudo previu, tudo dispôs antes do acontecimento; nenhum obstáculo a desvia do fim a que se propôs, e pedir a Deus que seja feita sua vontade não significa, como diz Tertuliano, temer que alguém se oponha eficazmente à execução de seus desígnios, mas que consentimos humildemente tudo que foi de seu agrado ordenar a nosso respeito; que sempre e em todas coisas realizamos sua santa vontade – que conhecemos pelos mandamentos – com a mesma prontidão, amor e constância dos anjos e dos bem-aventurados o obedecem no céu.

40. "O PÃO NOSSO DE CADA DIA NOS DAI HOJE". Jesus Cristo nos ensina a pedir a Deus tudo o que

é necessário para a vida do corpo e da alma. Com essas palavras do Pai-nosso, confessamos humildemente nossa miséria e rendemos homenagem à Providência, declaramos que acreditamos e desejamos obter de sua bondade todos os bens temporais. Sob o nome do pão, pedimos o que é simplesmente necessário à vida, e não incluímos o supérfluo. Esse pão nós o pedimos hoje, isto é, limitamos todas as nossas solicitações ao dia presente, apoiando-nos na Providência para o dia seguinte. Pedimos o pão de cada dia, confessando assim nossas necessidades sempre renovadas e mostrando nossa contínua dependência da proteção e do auxílio de Deus. "PERDOAI-NOS AS NOSSAS OFENSAS, ASSIM COMO NÓS PERDOAMOS A QUEM NOS TEM OFENDIDO". Como diziam Santo Agostinho e Tertuliano, nossos pecados são dívidas que assumimos com Deus, e sua Justiça exige que sejam pagas até o último óbolo. Mas todos temos essas lamentáveis dívidas. Portanto, e apesar de nossas incontáveis iniquidades, aproximemo-nos dele com confiança e digamos-lhe com um verdadeiro arrependimento: Pai-nosso que estais nos céus perdoai os pecados de nosso coração e de nossa boca, os pecados de ação e de omissão que nos tornam infinitamente culpados aos olhos de vossa justiça, porque como filhos de um Pai tão clemente e misericordioso perdoamos por obediência e por caridade aqueles que nos ofenderam. E por causa de nossa infidelidade às vossas graças; "E NÃO NOS DEIXEIS CAIR EM TENTAÇÃO", na tentação do mundo, do demônio e da carne. "MAS LIVRAI-NOS DO MAL", que é o pecado, e do mal da pena temporal e da pena eterna que merecemos. "AMÉM". Palavra de grande consolo que é, como diz São Jerônimo, como o selo que Deus coloca no fim de nossos pedidos para garantir que nos atendeu, como se ele próprio nos respondesse: Amém! Que seja como você pediu, pois na verdade foi atendido. É o que essa palavra significa.

### 13ª rosa

41. A cada palavra do Pai-nosso, honramos as perfeições de Deus. Ao dizer o nome do Pai, honramos sua fecundidade. Pai que engendra por todo o sempre um Filho que é Deus como Vós, eterno, consubstancial; que é uma mesma essência, uma mesma potência, uma mesma bondade, uma mesma sabedoria como Vós. Pai e Filho cujo amor mútuo produz o Espírito Santo, que é Deus como Vós. Três pessoas divinas que são um único Deus. Pai-nosso: Pai dos homens pela criação, conservação e redenção. Pai misericordioso dos pecadores. Pai amigo dos justos. Pai magnífico dos bem-aventurados. Que estais: com essas palavras admiramos a infinidade, a grandeza e a plenitude da essência de Deus, cujo verdadeiro nome é Aquele que é, ou seja, existe essencial, necessária e eternamente, que é o Ser dos seres, a causa

de todos eles; que em si mesmo contém sobretudo as perfeições de todos os seres; que está em todos por sua essência, por sua presença e por sua potência, sem estar limitado. Honramos sua sublimidade, glória e majestade com as palavras "Que estais nos céus", isto é, sentado em vosso trono, exercendo vossa justiça sobre todos os homens. Adoramos sua santidade ao desejar que seu nome seja santificado. Reconhecemos sua soberania e a justiça de suas leis ao desejar que seu reino venha, e que os homens o obedeçam na terra como os anjos o obedecem no céu. Acreditamos em sua Providência ao pedir que nos dê o pão nosso de cada dia. Invocamos sua clemência ao pedir a remissão de nossos pecados. Recorremos à sua potência ao rogar que não nos deixe cair em tentação. Confiamo-nos à sua bondade ao esperar que nos libertará do mal. O Filho de Deus sempre glorificou seu Pai com suas obras; veio ao mundo para que fosse glorificado pelos homens; ensinou-nos a maneira de honrá-lo com essa oração que Ele mesmo ditou. Devemos, portanto, rezá-la sempre com atenção e no mesmo espírito com que foi composta.

### 14ª rosa

42. Quando rezamos devotamente essa divina Oração, as palavras pronunciadas são como atos das mais nobres virtudes cristãs. Ao dizer Pai-nosso que

estais nos céus, fazemos atos de fé, de adoração e de humildade. Ao desejar que seu nome seja santificado e glorificado, demonstramos um ardente zelo por sua glória. Ao pedir a posse de seu reino, fazemos um ato de esperança. Ao desejar que sua vontade seja feita assim na terra como no céu, mostramos um espírito de perfeita obediência. Ao pedir nosso pão de cada dia, praticamos o espírito da pobreza e o desapego dos bens terrenos. Ao rogar que perdoe nossos pecados, fazemos um ato de arrependimento. E ao perdoar aqueles que nos ofenderam, exercemos a misericórdia na mais alta perfeição. Ao pedir seu auxílio nas tentações, fazemos atos de humildade, de prudência e de força. Ao esperar que nos livre do mal, praticamos a paciência. Por fim, ao pedir todas essas coisas, não apenas para nós como também para nosso próximo e para todos os membros da Igreja, fazemos o dever dos verdadeiros filhos de Deus: nós o imitamos na sua caridade que abarca todos os homens e realizamos o mandamento do amor ao próximo.

43. Abominamos todos os pecados e observamos todos os mandamentos de Deus quando ao rezar o Pai-nosso o coração e a língua estão em sintonia, e nossa intenção não é contrária ao sentido dessas divinas palavras. Pois na reflexão de que Deus está no céu, ou seja, infinitamente acima de nós pela grande-

za de sua majestade, alcançamos os mais profundos sentimentos de respeito em sua presença; e temerosos fugimos do orgulho e nos curvamos até o nada. Ao pronunciar o nome do Pai, lembramo-nos de que nossa existência vem de Deus através de nossos pais, e nossa própria instrução através de nossos mestres, que aqui desempenham o papel de Deus e do qual são a imagem viva, por isso nos sentimos obrigados a honrá-los, ou melhor, a honrar Deus pelo intermédio deles, e evitamos desprezá-los ou afligi-los. Quando desejamos que o santo Nome de Deus seja glorificado, não corremos o risco de profaná-lo. Quando olhamos o Reino de Deus como nossa herança, renunciamos a qualquer apego aos bens deste mundo; quando pedimos sinceramente para nosso próximo os mesmos bens que desejamos para nós, renunciamos ao ódio, ao dissenso e à inveja. Ao pedir a Deus o pão nosso de cada dia, renegamos a gula e a volúpia que se alimentam da abundância. Ao rogar sinceramente que Deus nos perdoe, como perdoamos aos que nos ofenderam, reprimimos nossa cólera e nossa vingança, devolvemos o mal com o bem e amamos nossos inimigos. Ao pedir a Deus que não nos deixe cair em pecado no momento da tentação, mostramos que fugimos da preguiça, que buscamos os meios de combater os vícios e de nos salvar. Ao rogar a Deus que nos livre do mal, tememos sua justiça, e somos bem-aventurados, pois o temor a Deus é o mandamento da sabedoria, é pelo temor a Deus que todo homem evita o pecado.

### 15ª rosa

44. Tão sublime é a Ave-Maria que o Bem-aventurado Alain de la Roche acreditou que nenhuma criatura poderia compreendê-la e que só Jesus, nascido da Virgem Maria, poderia explicá-la. Sua perfeição vem principalmente da Santíssima Virgem – a quem foi endereçada –, da finalidade da Encarnação do Verbo – para a qual foi trazida do céu –, e do Arcanjo Gabriel – que foi o primeiro a pronunciá-la. Resume da maneira mais concisa toda a teologia cristã sobre a Virgem Maria. Nela encontramos um louvor e uma invocação. O louvor contém tudo o que faz a verdadeira grandeza de Maria; a invocação, tudo o que devemos lhe pedir e o que podemos esperar de sua bondade. A Santíssima Trindade revelou a primeira parte; Santa Isabel, iluminada pelo Espírito Santo, adicionou a segunda; e a Igreja, no primeiro concílio de Éfeso, em 430, deu-nos a conclusão, e o fez depois de condenar a heresia nestoriana e definir a Santíssima Virgem como a verdadeira Mãe de Deus. Também ordenou que ela fosse invocada sob essa gloriosa qualidade e com as seguintes palavras: Santa Maria, Mãe de Deus, rogai por nós pecadores, agora e na hora de nossa morte.

45. De acordo com o Bem-aventurado Alain de la Roche, a divina Saudação foi feita à Santíssima Virgem Maria para concluir o maior e o mais importante acontecimento do mundo: a Encarnação do Verbo eterno, a paz entre Deus e os homens e a redenção do gênero humano. Coube ao Arcanjo Gabriel, um dos primeiros príncipes da corte celeste, ser o embaixador desta auspiciosa notícia. A Ave-Maria contém a fé e a esperança dos patriarcas, dos profetas e dos apóstolos. É a constância e a força dos mártires, a ciência dos doutores, a perseverança dos confessores e a vida dos religiosos. É o novo cântico da lei da graça, o júbilo dos anjos e dos homens, o terror e a confusão dos demônios. Por meio dela, Deus se fez homem, uma Virgem tornou-se a Mãe de Deus. As almas dos justos foram libertadas do limbo; as ruínas do céu, reparadas; os tronos vazios, ocupados; o pecado, perdoado. A graça nos foi dada, os doentes foram curados, os mortos ressuscitados, os exilados chamados, a Santíssima Trindade foi apaziguada, e os homens obtiveram a vida eterna. Por fim, a Ave-Maria é o arco-íris, o sinal da clemência e da graça que Deus deu ao mundo.

### 16ª rosa

46. Mesmo não havendo nada tão grandioso quanto a majestade divina nem tão abjeto quanto o homem pecador, essa suprema Majestade não desde-

nha, no entanto, nossas homenagens; sente-se honrada quando cantamos seus louvores. E a saudação do anjo é um dos mais belos cânticos que podemos dirigir à gloria do Altíssimo. "Canticum novum cantabo tibo": "Eu vos cantarei um cântico novo". Esse cântico novo previsto por Davi – e que seria cantado na vinda do Messias – é a Saudação do arcanjo. Há um cântico antigo e um cântico novo. O antigo foi cantado pelos israelitas em reconhecimento pela criação, pela conservação, pela libertação do cativeiro, pela passagem do Mar Vermelho, pelo maná e por todas as outras bênçãos do céu. O cântico novo é cantado pelos cristãos em ações de graça pela Encarnação e pela Redenção. Como esses prodígios foram realizados pela Ave-Maria, nós a repetimos em agradecimento à Santíssima Trindade e sua inestimável bondade. Louvamos Deus Pai porque amou tanto o mundo que deu seu único Filho como Salvador. Bendizemos o Filho porque desceu do céu à terra, fez-se homem e nos resgatou. Glorificamos o Espírito Santo porque formou no seio da Santíssima Virgem esse corpo puríssimo que foi vítima de nossos pecados. E é nesse espírito de reconhecimento que a Ave-Maria deve ser rezada, produzindo atos de fé, de esperança, de amor e de ações de graças para o benefício de nossa salvação.

47. Mesmo dirigindo-se diretamente à Mãe de Deus e contendo seus louvores, esse cântico novo não deixa de glorificar a Santíssima Trindade, pois toda honra dada à Santíssima Virgem retorna a Deus, que é a causa de todas suas perfeições e virtudes. Deus Pai é glorificado porque honramos a mais perfeita de suas criaturas. O Filho é glorificado porque louvamos sua Mãe puríssima. O Espírito Santo é glorificado porque admiramos as graças com as quais cobriu sua esposa. Assim como a Santíssima Virgem por meio de seu belo cântico *Magnificat* remeteu a Deus os louvores e as bênçãos dados por Santa Isabel ao saber de sua eminente dignidade de Mãe do Senhor, da mesma forma ela imediatamente remete a Deus os louvores e as bênçãos que lhe damos ao rezar a Ave-Maria.

48. Além de glorificar a Santíssima Trindade, a Ave-Maria também é o mais perfeito louvor que possamos dirigir a Maria. Ao desejar saber qual a melhor forma de testemunhar sua terna devoção à Mãe de Deus, Santa Melchtilde foi então arrebatada em espírito; a Santíssima Virgem apareceu trazendo em seu seio a Ave-Maria escrita em letras douradas e lhe disse: "Saiba, minha filha, que ninguém pode me honrar com uma saudação mais agradável do que a que me foi apresentada pela divina Trindade e pela qual me elevou à dignidade de Mãe de Deus. Pela palavra

"Ave", soube que Deus, com toda sua onipotência, havia me preservado de todo pecado e das misérias às quais a primeira mulher – Eva – foi sujeita. O nome "Maria", que significa senhora das luzes, assinala que Deus me cobriu de sabedoria e de luz, como um astro brilhante, para iluminar o céu e a terra. As palavras "cheia de graça" mostram que o Espírito Santo me cobriu de tanta graça que posso distribuí-la em abundância aos que pedem minha mediação. Quando dizem "O Senhor é convosco", renovam a alegria inefável que senti quando o Verbo eterno se encarnou em meu seio. Quando me dizem "Bendita sois entre as mulheres", louvo a divina misericórdia que me elevou a esse alto grau de felicidade. E nas palavras "Bendito é o fruto de vosso ventre, Jesus", todo o céu se regozija comigo por ver meu Filho adorado e glorificado por ter salvo os homens".

### 17ª rosa

49. Entre as coisas admiráveis que a Santíssima Virgem revelou ao Bem-aventurado Alain de la Roche (e sabemos que esse grande devoto de Maria confirmou tais revelações com um juramento), há três que são notáveis: a primeira, que é um provável sinal de condenação eterna, é ter negligência, preguiça e aversão pela Ave-Maria que salvou o mundo; a segunda é que os devotos dessa admirável saudação trazem um importante sinal de predestinação; a

terceira é que os que receberam do céu a bênção de amar a Santíssima Virgem e de servi-la com amor, devem se dedicar a amá-la e servi-la até que por intermédio de seu Filho ela os coloque no céu no grau de glória compatível com seus méritos.

50. Todos os hereges, que são filhos do diabo e carregam as marcas evidentes da condenação, têm horror à Ave-Maria; conseguem aprender o Pai-nosso, mas não a Ave-Maria; prefeririam carregar uma serpente a um terço ou um Rosário. Entre os católicos, os que carregam a marca da condenação não se preocupam muito com o terço ou com o Rosário, negligenciam rezá-lo ou só o fazem com indiferença e pressa. Ainda que não acrescentasse nenhuma fé piedosa ao que foi revelado ao Bem-aventurado Alain de la Roche, ainda assim minha experiência bastaria para me convencer dessa terrível e doce verdade. Não sei e não vejo, evidentemente, como é possível que uma devoção aparentemente tão pequena seja a marca infalível da salvação eterna, e sua falta a marca da condenação. E, no entanto, nada é mais verdadeiro. Hoje, vemos até seguidores das novas doutrinas condenadas pela Igreja que, mesmo com uma aparente piedade, negligenciam a devoção ao terço e ao Rosário, e muitas vezes usam os mais belos pretextos para afastá-los do espírito e do coração das pessoas que se aproximam dessa devoção; evitam condenar

abertamente o terço, o Rosário, o escapulário, como fazem os calvinistas; mas a maneira como os atacam é ainda mais perniciosa porque é mais dissimulada. Falaremos sobre isso em seguida.

51. Ao rezar o Rosário ou o terço, a Ave-Maria é minha oração, minha pedra de toque, para distinguir entre aqueles que são conduzidos pelo Espírito de Deus e os que estão na ilusão do espírito maligno. Conheci almas que em sublime contemplação pareciam voar como águias até as nuvens, mas infelizmente eram enganadas pelo demônio, e só descobri suas ilusões pelo desprezo dado à Ave-Maria e ao terço. A Ave-Maria é um orvalho celestial e divino que ao cair sobre a alma de um predestinado lhe dá uma admirável fecundidade para produzir todo tipo de virtudes, e quanto mais a alma for regada com essa oração, mais seu espírito se tornará iluminado, mais seu coração será fervoroso e mais será forte contra todos seus inimigos. A Ave-Maria é uma flecha pontiaguda e flamejante que associada à Palavra de Deus dá ao pregador que a anuncia a força de penetrar, de tocar e de converter os corações mais endurecidos, mesmo se não tiver um talento natural para a pregação. Como já disse, foi esse o segredo ensinado pela Santíssima Virgem a São Domingos e ao Bem-aventurado Alain para converter os hereges e os pecadores. Foi daí que veio a prática de rezar

uma Ave-Maria no começo de uma pregação, como garante Santo Antônio.

### 18ª rosa

52. Essa divina Saudação derrama sobre nós a bênção de Jesus e de Maria, pois é um princípio infalível que eles recompensam magnificamente aqueles que os glorificam. Multiplicam por cem as bênçãos que lhes damos. "Ego diligentes me diligo, ut ditem diligentes me et thesauros eorum repleam" (Pr 8,17). É o que Jesus e Maria bradavam orgulhosamente: "Amamos aqueles que nos amam, nós os enriquecemos e aumentamos seus tesouros". "Qui seminat in benedictionibus, de benedictionibus et metet": "Aqueles que semeiam bênçãos colherão bênçãos" (2 Cor 9,6). Mas rezar a Ave-Maria da maneira correta já não é amar, abençoar e glorificar Jesus e Maria? A cada Ave-Maria bendizemos Jesus e Maria: "Bendita sois entre as mulheres e bendito é o fruto de vosso ventre, Jesus". A cada Ave-Maria damos a Maria a mesma honra que Deus lhe deu quando o Arcanjo Gabriel a saudou. Quem poderia acreditar que Jesus e Maria, que tantas vezes fazem o bem aos que os amaldiçoam, amaldiçoariam aqueles e aquelas que os abençoam e os honram com a Ave-Maria? A Rainha do céu, como diziam São Bernardo e São Boaventura, não é menos agradecida e justa do que as pessoas honestas e educadas deste mundo: ela até os supera nessa vir-

tude como em todas as outras perfeições; portanto sempre aceitará que a honremos com respeito e nos devolverá cem vezes mais. Maria, diz Boaventura, nos saúda com a graça se a saudarmos com a Ave-Maria: "Ipsa salutabit nos cum gratia si salutaverim eam cum Ave Maria". Quem poderia compreender as graças e as bênçãos operadas em nós pela saudação e pelos olhares benévolos da Santíssima Virgem? Ao ouvir a saudação feita pela Mãe de Deus, Santa Isabel foi envolvida pelo Espírito Santo, e a criança que carregava em seu seio estremeceu de alegria. Se nos tornarmos dignos da saudação e da bênção da Santíssima Virgem, seremos certamente cobertos pela graça, e uma torrente de consolações espirituais jorrará em nossas almas.

### 19ª rosa

53. Está escrito: "Dai e recebei". Tomemos a comparação do Bem-aventurado Alain: "Se a cada dia eu lhe desse cento e cinquenta diamantes, perdoar-me-ia se porventura viesse a ser meu inimigo? Como amigo, dar-me-ia todas as graças ao seu alcance? Quer se enriquecer com as riquezas da graça e da glória? Saúde a Santíssima Virgem, honre sua Mãe". "Sicut qui thesaurizat, ita et qui honorificat matrem". "Aquele que honra sua mãe, a Santíssima Virgem, é igual a um homem que acumula tesouros" (Eclo 3,5). Dê-lhe a cada dia pelo menos cinquenta Ave-Marias, sendo

que cada uma contém quinze pedras preciosas que lhe são mais agradáveis do que todas as riquezas da terra. E o que deve esperar de sua generosidade? Ela é nossa Mãe e nossa amiga. É a imperatriz do universo que nos ama mais do que todas as mães e rainhas juntas não amaram um homem mortal, pois, como diz Santo Agostinho, a caridade da Virgem Maria excede todo o amor natural de todos os homens e de todos os anjos.

54. Um dia, Nosso Senhor apareceu a Santa Gertrudes contando moedas de ouro; ela teve a esperteza de lhe perguntar o que estava a contar. "Suas Ave-Marias, elas são as moedas com as quais se compra meu paraíso". Suarez, um devoto e douto jesuíta, estimava tanto o mérito da Ave-Maria que dizia que teria trocado facilmente toda sua sabedoria pelo valor de uma Ave-Maria bem rezada.

55. Disse o Bem-aventurado Alain de la Roche: "Que aquele que vos ama, ó divina Maria, ouça e saboreie": "Quando rezo a Ave-Maria, o céu se alegra, a terra se encanta, desprezo o mundo, o amor por Deus invade meu coração. Quando rezo a Ave-Maria, meus medos desaparecem, minhas paixões se apaziguam. Quando rezo a Ave-Maria, creio na devoção, encontro a compunção, minha esperança se fortalece, meu consolo aumenta. Quando rezo a Ave-Ma-

ria, meu espírito se alegra, minha dor se dissipa. Pois a doçura dessa benigna saudação é tão grande que não há palavra que possa explicá-la, e mesmo depois de termos dito suas maravilhas, ela permanece tão oculta e tão profunda que não podemos descobri-la. É pequena em palavras, mas grande em mistérios; é mais doce do que o mel e mais preciosa do que o ouro, é preciso tê-la sempre no coração para meditá-la, e nos lábios para lê-la e repeti-la devotamente". "Auscultet tui nominis, o Maria, coelum gaudet, omnis terra stupet cum dico Ave Maria; Satan fugit, infernus contremiscit, cum dico Ave Maria; mundus vilescit, cor in amore liquescit, cum dico Ave Maria; terror evanescit, caro marcescit, cum dico Ave Maria; crescit devotio, oritur compuctio, cum dico Ave Maria; spes proficit, augetur consolatio, cum dico Ave-Maria; recreatur animus, et in bono confortatur aeger afectus, cum dico Ave-Maria. Siquidem tanta suavitas hujus benignae salutationes, ut humanis non possit explicare verbis, sed semper manet altior et profundior quam omnis creatura indagare sufficiat. Haec oratio parva est verbis, alta mysteriis, brevis sermone, alta virtute, super mel dulcis, super aurum pretiosa; ore cordis est jugiter ruminanda labiisque puris frequentissime legenda ac devote repetenda". No capítulo 69 de seu saltério, Alain relata que uma religiosa muito devota ao Rosário apareceu depois de sua morte a uma de suas irmãs e lhe disse:

"Se pudesse retornar ao meu corpo para rezar apenas uma Ave-Maria, ainda que sem muito fervor, para ter o mérito dessa oração, de boa-vontade sofreria novamente todas as dores que sofri antes de morrer". É preciso mencionar que durante vários anos ela sofrera em seu leito dores violentas.

56. Michel de Lisle, Bispo de Salubre, discípulo e colega do Bem-aventurado Alain de la Roche no restabelecimento do Santo Rosário, diz que a Ave-Maria é o remédio de todos os males que nos afligem, desde que rezada devotamente em honra da Santíssima Virgem.

### 20ª rosa – Breve explicação da Ave-Maria

57. Você está na miséria do pecado? Invoque a divina Maria e diga-lhe: Ave, que quer dizer: eu vos saúdo com um profundo respeito, ó vós que sois sem pecado e sem infortúnio. Ela o libertará do mal de seus pecados. Está nas trevas da ignorância ou do erro? Aproxime-se de Maria e diga-lhe: Ave-Maria, isto é, iluminada pelos raios do sol da justiça, e ela os compartilhará com você. Desviou-se do caminho do céu? Invoque Maria, que quer dizer: Estrela do mar e Estrela Polar que guia nossa navegação neste mundo, e ela o conduzirá ao porto da salvação eterna. Está na aflição? Recorra a Maria, que quer dizer: mar de amarguras que neste mundo foi recheado de deses-

perança e que agora transformou-se em um mar de pura ternura no céu; ela converterá suas tristezas em alegria e suas aflições em consolações. Perdeu a graça? Honre a abundância das graças com as quais Deus cobriu a Santíssima Virgem, diga-lhe: "Cheia de graça" e de todos os dons do Espírito Santo, e ela compartilhará suas graças. Está sozinho, privado da proteção de Deus, dirija-se a Maria e diga-lhe: "O Senhor é convosco" de uma forma mais nobre e íntima do que nos justos e nos santos, pois vós sois uma com Ele; sendo seu Filho, sua carne é vossa carne, estais com o Senhor por uma perfeitíssima semelhança e por uma mútua caridade, pois sois sua mãe. Por fim, diga-lhe: A Santíssima Trindade é convosco porque sois o Templo precioso, e ela o colocará sob a proteção e a salvaguarda de Deus. Tornou-se o objeto da maldição de Deus? diga: "Bendita sois entre as mulheres" e entre todas as nações, com vossa pureza e fecundidade mudastes a maldição divina em bênção, e ela o abençoará. Tem fome do pão da graça e do pão da vida? Aproxime-se daquela que carregou o pão vivo que desceu do céu, diga-lhe: "Bendito seja o fruto de vosso ventre", que vós concebestes sem nenhuma mácula de vossa virgindade, que carregastes sem dor e destes à luz sem dor. Bendito seja Jesus, que resgatou o mundo cativo, curou o mundo doente, ressuscitou o homem morto, trouxe de volta o homem banido, justificou o homem criminoso, salvou o homem condenado. Sua alma certamente será saciada com o pão da graça nesta vida e com a glória eterna na outra. Amém.

58. Conclua sua prece como a Igreja o faz e diga: "Santa Maria", santa de corpo e alma, santa pelo singular e eterno devotamento ao serviço de Deus, santa na qualidade de Mãe de Deus, que vos dotou de uma santidade evidente e apropriada a esta dignidade infinita. "Mãe de Deus", que é também nossa Mãe, nossa Advogada e Mediadora, a Tesoureira e Dispensadora das graças de Deus, obtende-nos prontamente o perdão de nossos pecados e nossa reconciliação com a divina Majestade. "Rogai por nós pecadores", vós que tendes tanta compaixão pelos miseráveis, que não desprezais e nem repugnais os pecadores, sem os quais vós não serieis a Mãe do Salvador. "Rogai por nós agora", durante o tempo desta vida tão breve, frágil e miserável; "agora", pois só deste momento temos certeza; agora que somos atacados e cercados noite e dia por poderosos e cruéis inimigos. "E na hora de nossa morte", tão terrível e perigosa, quando nossas forças se esgotam, quando nosso espírito se abate pela dor e pelo medo; na hora de nossa morte porque satanás redobra seus esforços para nos perder para sempre; na hora em que nosso destino bem-aventurado ou desventurado será selado por toda a eternidade. Vinde em socorro

de vossos pobres filhos, ó Mãe piedosa, ó advogada e refúgio dos pecadores; na hora da morte, expulsai para longe de nós os demônios, nossos acusadores e vossos inimigos, cujo medonho aspecto nos aterroriza. Vinde nos iluminar nas trevas da morte. Conduzi-nos, acompanhai-nos ao tribunal de nosso juiz, vosso Filho; intercedei por nós, para que ele nos perdoe e nos receba entre vossos eleitos na morada da glória eterna Amém. Assim seja.

59. Impossível não admirar a excelência do Santo Rosário que é composto dessas duas divinas partes: o Pai-nosso e a Ave-Maria. Haverá oração mais agradável a Deus e à Santíssima Virgem, mais fácil, mais doce e mais benéfica aos homens? É sempre bom tê-las no coração e nos lábios para honrar a Santíssima Trindade, Jesus Cristo nosso Salvador e sua Santíssima Mãe. Além disso, no fim de cada dezena é bom acrescentar o Glória ao Pai, ao Filho e ao Espírito Santo. Assim como era no princípio é agora e sempre e pelos séculos dos séculos. Assim seja.

# Terceira dezena
## A perfeição do Santo Rosário na meditação sobre a vida e a paixão de Nosso Senhor Jesus Cristo

### 21ª rosa – Os quinze mistérios do Rosário

60. Um mistério é algo sagrado e de difícil compreensão. Todas as obras de Jesus Cristo são sagradas e divinas porque ele é Deus e homem ao mesmo tempo; as da Santíssima Virgem são santas porque ela é a mais perfeita de todas as criaturas; as obras de ambos são corretamente chamadas de mistérios porque estão repletas de maravilhas, perfeições e verdades profundas e sublimes – que são reveladas pelo Espírito Santo aos humildes e às almas simples que os honram. As obras de Jesus e de Maria também podem ser chamadas de flores esplêndidas, mas cujo perfume e beleza só se revelam para as pessoas que delas se aproximam, que as rescendem e as abrem por meio de uma atenta e séria meditação.

61. São Domingos dividiu a vida de Jesus Cristo e da Santíssima Virgem em quinze mistérios que descrevem suas virtudes e suas principais ações. São quinze quadros cujas cenas devem nos servir de regra e de exemplo na conduta de nossa vida; quinze

tochas para guiar nossos passos neste mundo; quinze espelhos ardentes para conhecer Jesus e Maria, para que nos conheçamos e acendamos o fogo do amor deles em nossos corações; quinze fornalhas para nos consumir completamente em suas chamas celestes. Além de ensinar-lhe esse excelente método de rezar, a Santíssima Virgem ordenou-lhe que o pregasse a fim de despertar a piedade dos cristãos e de reavivar o amor de Jesus Cristo em nossos corações. Ensinou-o também ao Bem-aventurado Alain de la Roche. "É uma oração muito útil", disse-lhe, "e recitar as cento e cinquenta Ave-Marias é uma obra que muito me agrada. E ela me será ainda mais agradável se quem as rezar o fizer meditando sobre a vida, a paixão e a glória de Jesus Cristo, pois essa meditação é a alma dessas orações". Com efeito, sem a meditação sobre os mistérios sagrados de nossa salvação, o Rosário seria como um corpo sem alma, ou seja, uma excelente matéria informe, pois é a meditação que o distingue das outras devoções.

62. A primeira parte do Rosário contém cinco mistérios:

1º) A Anunciação do Arcanjo Gabriel à Santíssima Virgem.

2º) A Visitação da Santíssima Virgem a Santa Isabel.

3º) A Natividade de Jesus.

4º) A Apresentação do Menino Jesus no templo e a purificação da Santíssima Virgem.

5º) O encontro de Jesus no Templo entre os doutores.

Esses mistérios são chamados de gozosos por causa da alegria que deram a todo o universo. A Santíssima Virgem e os anjos foram cobertos de alegria no momento em que o Filho de Deus se encarnou. Santa Isabel e São João Batista alegraram-se com a visita de Jesus e de Maria. O céu e a terra se alegraram com o nascimento do Salvador. Simão consolou-se e alegrou-se ao receber Jesus em seus braços. Os doutores encantaram-se e admiraram-se ao ouvir as respostas de Jesus, e quem expressará a alegria de Maria e de José ao reencontrá-lo depois de três dias de ausência?

63. Os cinco mistérios que compõem a segunda parte do Rosário são chamados de Mistérios dolorosos porque representam Jesus Cristo tomado de tristeza, coberto de feridas, carregado de opróbios, de dores e de tormentos.

1º) Oração e agonia de Jesus no Jardim das Oliveiras.

2º) A flagelação.

3º) A coroação de espinhos.

4º) Jesus carregando a cruz.

5º) Crucificação e morte no Monte Calvário.

64. A terceira parte do Rosário é composta pelos cinco mistérios que são chamados de Mistérios gloriosos porque nele contemplamos Jesus e Maria no triunfo e na glória.

1º) A ressurreição de Jesus Cristo.

2º) A ascensão aos céus.

3º) A descida do Espírito Santo sobre os apóstolos.

4º) A assunção gloriosa de Nossa Senhora ao céu.

5º) A coroação no céu.

São para estas quinze flores perfumadas do Rosário místico que as almas piedosas se dirigem como sábias abelhas, para ali colher o néctar admirável e com ele fazer o mel de uma sólida devoção.

## 22ª rosa – Com a meditação sobre os mistérios imitamos Jesus

65. A principal preocupação da alma cristã é caminhar para a perfeição. Como São Paulo nos diz: "Sede, pois, os fiéis imitadores de Deus, como filhos muito amados". Esta obrigação está contida no decreto eterno de nossa predestinação, como o único meio prescrito para alcançar a glória eterna. São Gregório de Nissa disse gentilmente que somos pintores. Nossa alma é a tela sobre a qual devemos aplicar o pincel, as virtudes são as cores que devem revelar seu brilho, e o original que devemos copiar é Jesus Cristo – a imagem viva que representa perfeitamente o Pai eterno. Por isso, assim como ao realizar

um retrato natural o pintor coloca diante dos olhos o original e o observa a cada pincelada dada, assim também o cristão sempre deve ter diante dos olhos a vida e as virtudes de Jesus Cristo, para nada dizer, pensar ou fazer que não esteja de acordo com elas.

66. Para nos ajudar no importante trabalho de nossa predestinação, Nossa Senhora ordenou a São Domingos que mostrasse os mistérios sagrados da vida de Jesus Cristo aos fiéis que rezam o Rosário, não apenas para que o adorem e o glorifiquem, mas principalmente para que em suas vidas e em suas ações copiem suas virtudes. As crianças imitam seus pais ao observá-los e ao conversar com eles, aprendem sua língua ao ouvi-los falar; um aprendiz ao ver trabalhar seu mestre aprende sua arte, já os fiéis confrades do Rosário tornam-se iguais a esse divino Mestre quando observam de forma séria e devota as virtudes apresentadas nos quinze mistérios da vida de Jesus Cristo, e têm o auxílio de sua graça e da intercessão de Nossa Senhora.

67. Se Moisés ordenou ao povo hebreu, da parte do próprio Deus, que nunca esquecesse os benefícios com os quais tinha sido agraciado, com mais forte razão o Filho de Deus pode nos pedir que gravemos em nossos corações e tenhamos sempre diante dos olhos os mistérios de sua vida, de sua paixão e de sua

glória, pois foi com essas bênçãos que nos favoreceu e com as quais nos mostrou seu excessivo amor pela nossa salvação. "Ó vocês que passam", diz ele, "parem e considerem se já houve dores iguais às que suporto por vosso amor. Lembrem-se de minha pobreza e de minhas humilhações, pensem no absinto e no fel que tomei por vocês em minha paixão". Essas palavras e muitas outras que poderíamos mencionar bastam para nos convencer da nossa obrigação de não rezar o Rosário em honra de Jesus Cristo e de Nossa Senhora só vocalmente, mas fazê-lo meditando sobre os mistérios sagrados.

## 23ª rosa – O Rosário, memorial da vida e da morte de Jesus

68. Jesus Cristo, o divino Esposo de nossas almas, nosso terno amigo, deseja que nos lembremos de suas bênçãos e que as estimemos acima de todas as coisas; como Nossa Senhora e todos os santos do paraíso, ele também recebe uma glória acidental quando meditamos devota e carinhosamente sobre os mistérios sagrados do Rosário, que são os efeitos mais evidentes de seu amor por nós e os mais ricos presentes que pode nos dar, pois é por meio de tais presentes que a própria Nossa Senhora e todos os santos desfrutam da glória. Um dia, a Bem-aventurada Ângela de Foligno pediu a Nosso Senhor para lhe ensinar a prática com a qual mais o honraria. Ele apareceu-lhe

na cruz e disse: "Minha filha, olhe minhas chagas". E com esse tão amável Salvador aprendeu que nada o agrada mais do que a meditação sobre seus sofrimentos. Mostrou-lhe então as feridas de sua cabeça e as várias circunstâncias de seus tormentos e disse: "Tudo isso sofri para sua salvação, o que pode fazer que iguale meu amor por você?"

69. O santo sacrifício da missa honra infinitamente a Santíssima Trindade porque representa a paixão de Jesus Cristo e porque com nossa participação retribuímos os méritos de sua obediência, de seus sofrimentos e de seu sangue. Com a Santa Missa, toda a corte celeste também recebe essa glória acidental. E pela mesma razão, Santo Tomás de Aquino e vários autores nos dizem que ela se regozija com a comunhão dos fiéis porque o Santo Sacramento é um meio para que os homens participem dos frutos e avancem na salvação, além de ser um memorial da paixão e da morte de Jesus Cristo. Já o Santo Rosário, quando rezado com a meditação sobre os mistérios sagrados, é um sacrifício de louvores a Deus pelo benefício de nossa Redenção e uma devota lembrança dos sofrimentos, da morte e da glória de Jesus Cristo. É verdade, pois, que o Rosário dá uma glória, uma alegria acidental a Jesus Cristo, a Nossa Senhora e a todos os bem-aventurados, uma vez que, para nossa felicidade eterna, nada desejam além de nos ver

ocupados com um exercício tão glorioso para nosso Salvador e tão salutar para nós.

70. O Evangelho nos garante que um pecador que se converte e faz penitência alegra todos os anjos. Se para alegrá-los basta que um pecador abandone seus pecados e deles se penitencie, então que alegria e júbilo para toda a corte celeste, que glória para o próprio Jesus Cristo ao nos ver aqui na terra meditando com amor e devoção sobre suas humilhações, seus tormentos e sua morte cruel e ignominiosa. Haverá algo mais eficaz para nos tocar e nos levar a uma sincera penitência? O cristão que não medita sobre os mistérios do Rosário revela sua grande ingratidão para com Jesus Cristo e sua pouca estima por tudo o que o divino Salvador sofreu para a salvação do mundo. Essa conduta parece revelar sua ignorância sobre a vida de Jesus, seu pouco esforço para aprender o que fez e o que sofreu para nos salvar. Como não conheceu Jesus ou o esqueceu, esse cristão deve temer que ele o repudie no dia do Juízo Final com a seguinte recriminação: "Em verdade eu vos digo que não o conheço". Meditemos, pois, sobre a vida e os sofrimentos do Salvador por meio do Santo Rosário; aprendamos a conhecer e a reconhecer seus benefícios, para que nos reconheça como seus filhos e como seus amigos no dia do Juízo Final.

## 24ª rosa – A meditação sobre os mistérios do Rosário é um grande meio de perfeição

71. Os santos faziam da vida de Jesus seu principal estudo; meditaram sobre suas virtudes e seus sofrimentos, e chegaram assim à perfeição cristã. São Bernardo começou com esse exercício, que nunca abandonou. "Desde o início de minha conversão", diz ele, "fiz um buquê de mirra composto das dores de meu Salvador; coloquei-o em meu coração, pensando nas chicotadas, nos espinhos e nos pregos da paixão. Consagrei todo meu espírito à meditação diária sobre esses mistérios". Era esse também o exercício dos santos mártires, e admiramos como triunfaram sobre os mais cruéis tormentos. De onde viria essa admirável constância dos mártires, diz São Bernardo, se não das chagas de Cristo, sobre as quais geralmente meditavam? Onde estava a alma desses generosos lutadores quando o sangue corria e o corpo era moído pelos suplícios? Estava nas chagas de Jesus e estas os tornavam invencíveis.

72. A Santíssima Mãe do Salvador passou sua vida meditando sobre os sofrimentos de seu Filho. Quando ouviu os anjos cantarem seus cânticos de alegria em seu nascimento, quando viu os pastores adorarem-no no estábulo, seu espírito se encheu de admiração, e ela meditava sobre todas essas maravilhas. Comparava as grandezas do Verbo encarnado

às suas profundas humilhações; a palha e a manjedoura ao seu trono e ao seio de seu Pai; a potência de um Deus à fraqueza de uma criança; sua sabedoria à sua simplicidade. Ela disse um dia a Santa Brígida: "Quando contemplava a beleza, a modéstia, a sabedoria de meu Filho, minha alma transbordava de alegria, e quando considerava que suas mãos e pés seriam transpassados por pregos, vertia uma torrente de lágrimas, o coração se partia de tristeza e de dor".

73. Depois da Ascensão de Jesus, a Santíssima Virgem passou o resto de sua vida visitando os lugares que esse divino Salvador havia santificado com sua presença e com seus tormentos. Ali meditava sobre sua excessiva caridade e sobre os rigores de sua paixão. Este também era o exercício contínuo de Maria Madalena durante os trinta anos que viveu em Sainte-Baume. E São Jerônimo diz que essa era a devoção dos primeiros fiéis, que de todas as regiões do mundo iam até a Terra Santa para que com a visão dos objetos e dos lugares que ele havia consagrado com seu nascimento, com seus trabalhos, com seus sofrimentos e com sua morte gravassem profundamente em seus corações o amor e a lembrança do Salvador dos homens.

74. Todos os cristãos têm uma única fé, adoram um único Deus e esperam uma mesma felicidade no céu. Todos conhecem um único mediador: Jesus. E esse divino modelo deve ser imitado por meio da meditação sobre os mistérios de sua vida, de suas virtudes e de sua glória. É um erro pensar que a meditação sobre as verdades da fé e dos mistérios da vida de Jesus só diz respeito aos padres, aos religiosos e àqueles que se retiraram das confusões do mundo. Se para responder dignamente à sua vocação, os religiosos e os eclesiásticos têm a obrigação de meditar sobre as verdades de nossa santa religião, os leigos têm no mínimo a mesma obrigação por causa dos perigos diários que podem perdê-los. Devem, pois, se armar com a frequente lembrança da vida, das virtudes e dos sofrimentos do Salvador, cuja representação está nos quinze mistérios do Santo Rosário.

## 25ª rosa – Riquezas de santificação contidas nas orações e nas meditações sobre o Rosário

75. Ninguém jamais poderá compreender as admiráveis riquezas de santificação contidas nas orações e nos mistérios do Santo Rosário. Para todos que a praticam, essa meditação sobre os mistérios da vida e da morte de Nosso Senhor Jesus Cristo é a fonte dos mais maravilhosos frutos. Hoje vemos coisas que chocam, comovem, deixam na alma profundas impressões. O que há de mais comovente do

que essa maravilhosa história de nosso Redentor que se oferece aos nossos olhos nas quinze cenas que nos relembram a vida, a morte e a glória do Salvador do mundo? Que preces são mais excelentes e mais sublimes do que o Pai-nosso e a Ave-Maria? São elas que contêm todos nossos desejos e necessidades.

76. A meditação sobre os mistérios e sobre as orações do Rosário é a mais fácil de todas as orações, pois o estudo da diversidade das virtudes e dos estados de Jesus recria e fortifica de forma maravilhosa o espírito e impede as distrações. Os eruditos encontram nessas fórmulas a doutrina mais profunda, e as pessoas simples as instruções mais familiares. Antes de se elevar ao grau mais sublime da contemplação, é preciso passar por essa simples meditação. Esta é a opinião de Santo Tomás de Aquino e também o conselho que nos dá quando diz que, como em um campo de batalha, precisamos primeiro nos esforçar para adquirir todas as virtudes cujo modelo perfeito encontra-se nos mistérios do Rosário; pois é dessa forma, diz o sábio Cajetan, que conquistaremos a união íntima com Deus, sem a qual a contemplação não passa de uma ilusão capaz de seduzir as almas.

77. Se os falsos iluminados de nossa época ou os quietistas tivessem seguido esse conselho, não teriam caído de forma tão terrível, nem causado tanta rejei-

ção à devoção. Abandonar essas orações divinas – que são o apoio, a força e a proteção da alma – e acreditar que possamos criar orações mais sublimes do que o Pai-nosso e a Ave-Maria não passam de uma estranha ilusão do demônio. Confesso que nem sempre é preciso rezá-las vocalmente e que, de certa forma, a prece interior é mais perfeita do que a vocal; mas garanto que é muito perigoso, para não dizer pernicioso, abandonar voluntariamente a reza do terço ou do Rosário a pretexto de uma união mais perfeita com Deus. Ludibriada pelos hereges, a alma muito orgulhosa faz tudo o que pode interiormente para se elevar ao grau sublime das orações dos santos, e para isso despreza e abandona suas antigas maneiras de rezar, que só são boas para as almas do homem comum. Fica então surda às preces e à saudação de um anjo e mesmo à oração que um Deus fez, praticou e recomendou. "Sic orabitis: Pater noster": Eis como deveis rezar: Pai-nosso; e assim cai de ilusão em ilusão e de precipício em precipício.

78. Creia-me, meu caro confrade do Rosário, se quiser chegar a um alto grau de oração sem, no entanto, cair na ilusão do demônio – tão comum nas pessoas que rezam –, reze o Rosário completo ou pelo menos o terço todos os dias, se for possível. Se pela graça de Deus já chegou a esse ponto e quer continuar e crescer na humildade, mantenha a

prática do Santo Rosário, pois jamais uma alma que o reza diariamente será formalmente herege ou enganada pelo demônio; esta é uma proposta que eu assinaria com meu sangue. Mas se em sua grande misericórdia, Deus o atrai de uma maneira tão poderosa quanto atraiu alguns santos, deixe-se levar por essa atração; deixe Deus agir, orar em você e rezar o Rosário à sua maneira, e que esse lhe baste nesse dia. Mas se estiver apenas na contemplação ativa ou na oração ordinária de quietude, de presença de Deus e de afeição, terá ainda menos razão para abandoná-lo; e em vez de recuar na oração e na virtude enquanto o reza que, ao contrário, ele seja um auxílio maravilhoso e a verdadeira escada de Jacó com quinze degraus, pelo quais você irá de virtude em virtude, de luz em luz, e chegará sem trapaça à plenitude da idade de Jesus Cristo.

### 26ª rosa

79. Procure não imitar a teimosia da devota de Roma sobre a qual as maravilhas do Rosário tanto falam. Era uma pessoa tão devota e fervorosa cuja vida piedosa confundia os religiosos mais austeros da Igreja de Deus. Ao consultar São Domingos e com ele se confessar, recebeu a penitência de rezar um único Rosário todos os dias. Recusou-se dizendo que tinha suas práticas diárias: percorria todos os dias as Estações de Roma, penitenciava-se, usava o

cilício, chicoteava-se várias vezes por semana, jejuava e fazia outras penitências. São Domingos continuou insistindo que seguisse seu conselho, mas ela não o aceitou; saiu do confessionário escandalizada com o procedimento desse novo diretor que desejava convencê-la a abraçar uma devoção que ela não apreciava. Eis que estando em oração e em êxtase, viu sua alma obrigada a comparecer diante do Soberano Juiz. São Miguel depositou em um dos pratos todas suas penitências e outras preces e, no outro, todos seus pecados e imperfeições. Ergueu a balança, o prato das boas obras subiu muito e não conseguiu fazer contrapeso ao prato de seus pecados e imperfeições. Muito assustada, pediu por misericórdia e dirigiu-se à Santíssima Virgem, sua advogada. Esta colocou no prato das boas obras o único Rosário que ela rezara como penitência, este era tão pesado que pesava mais do que todos os pecados e todas suas boas obras. A Santíssima Virgem a repreendeu tanto por seus pecados quanto por ter se recusado a rezar o Santo Rosário todos os dias, como aconselhara seu servidor Domingos. Ao voltar a si, jogou-se aos pés de São Domingos, contou-lhe o que se passara, pediu-lhe perdão por sua incredulidade, prometeu rezar o Rosário todos os dias e chegou assim à perfeição cristã e à glória eterna. Aprendam, pessoas de oração, a força, o valor e a importância dessa devoção ao Santo Rosário rezado com a meditação sobre os mistérios.

80. Não há nada mais elevado em oração do que Santa Maria Madalena, que sete vezes por dia era levada pelos anjos acima do Saint Pillon e que estivera na escola de Jesus Cristo e de sua Santa Mãe. Um dia, ao pedir a Deus um bom meio de progredir em seu amor e de chegar à mais alta perfeição, ela recebeu a visita do Arcanjo São Miguel que lhe disse não conhecer outro que o de meditar sobre os mistérios dolorosos que ela própria vira acontecer, e fazê-lo diante da cruz que ele colocara na entrada da caverna. Que o exemplo de São Francisco de Sales, um grande diretor espiritual de seu tempo, o estimule a fazer parte dessa santa confraria, pois por mais santo que fosse fez o voto de rezá-lo por inteiro todos os dias de sua vida. São Carlos Borromeu também o rezava todos os dias, e nos seminários recomendava essa devoção aos sacerdotes, aos eclesiásticos e a todo o seu rebanho. O Bem-aventurado Pio V, um dos maiores papas que governou a Igreja, rezava o Rosário todos os dias. Santo Tomás de Villeneuve, arcebispo de Valença, Santo Inácio, São Francisco Xavier, São Francisco de Bórgia, Santa Tereza, São Felipe de Neri, e vários outros grandes homens que não cito aqui, foram grandes devotos do Rosário. Sigam esses exemplos, seus diretores ficarão muito satisfeitos, e serão os primeiros a estimulá-los quando ficarem sabendo dos frutos que você pode obter.

## 27ª rosa

81. Para estimulá-lo ainda mais a praticar essa devoção das grandes almas, acrescento que o Rosário rezado com a meditação sobre os mistérios:

1) Eleva-nos pouco a pouco ao conhecimento perfeito de Jesus Cristo.

2) Purifica nossas almas do pecado.

3) Ajuda-nos a vencer todos os inimigos.

4) Facilita a prática das virtudes.

5) Estimula-nos com o amor de Jesus Cristo.

6) Enriquece-nos com graças e méritos.

7) Fornece-nos o que é necessário para pagar nossas dívidas para com Deus e os homens.

8) Faz-nos obter de Deus todo tipo de graças.

82. O conhecimento de Jesus Cristo é a ciência dos cristãos e a ciência da salvação; supera, como diz São Paulo, todas as ciências humanas em valor e em perfeição:

1) Pela dignidade de seu objeto, que é um Deus feito homem, na presença do qual todo o universo não passa de uma gota de orvalho ou de um grão de areia.

2) Por sua utilidade; as ciências humanas só nos alimentam do vento e da fumaça do orgulho.

3) Pela sua necessidade, pois não podemos ser salvos se não conhecermos Jesus Cristo, e aquele

que ignora todas as outras ciências será salvo se conhecer a ciência de Jesus Cristo.

Abençoado Rosário que nos dá essa ciência e o conhecimento de Jesus Cristo, fazendo-nos meditar sobre sua vida, morte, paixão e glória. Ao admirar a sabedoria de Salomão, a rainha de Sabá exclamou: "Bem-aventurados vossos domésticos e vossos servidores que sempre estão em vossa presença e ouvem os oráculos de vossa sabedoria"; mais bem-aventurados os fiéis que meditam atentamente sobre a vida, as virtudes, os sofrimentos e a glória do Salvador, pois assim adquirem o perfeito conhecimento do que é a vida eterna. Haec est vita aeterna.

83. A Santíssima Virgem revelou ao Bem-aventurado Alain que assim que São Domingos começou a pregar o Rosário os pecadores endurecidos foram tocados e lamentaram amargamente seus crimes, e mesmo as crianças fizeram penitências inacreditáveis; em toda parte o fervor foi tão grande que os pecadores mudaram de vida e todos se edificaram com suas penitências e a correção de suas vidas. Se sentir sua consciência carregada de alguns pecados, pegue o Rosário e reze uma parte em honra de alguns mistérios da vida, da paixão ou da glória de Jesus Cristo, e acredite que, enquanto meditar e honrar esses mistérios, Ele mostrará suas chagas sagradas a seu Pai no céu; intercederá por você e obterá a con-

trição e o perdão de seus pecados. Um dia ele disse ao Bem-aventurado Alain: "Se esses miseráveis pecadores rezassem com frequência meu Rosário, participariam dos méritos de minha paixão e, como seu Advogado, eu apaziguaria a divina Justiça".

84. Esta vida é uma guerra e uma tentação permanentes; não temos de combater inimigos de carne e osso, mas as próprias potências do inferno. Para combatê-las, que outras armas tomaremos a não ser a oração ensinada pelo nosso grande Capitão e a Saudação angélica – que expulsou os demônios, destruiu o pecado e resgatou o mundo; ou então a meditação sobre a vida, sobre a paixão de Jesus Cristo, com cujo pensamento, assim como nos ordena São Pedro, devemos nos armar para nos defender dos mesmos inimigos que ele venceu e que nos atacam diariamente. Como diz o Cardeal Hugues: "Desde que o demônio foi vencido pela humildade e pela paixão de Jesus Cristo, ele mal consegue atacar uma alma cuja arma é a meditação sobre seus mistérios, e se a atacar será vergonhosamente vencido". "Induite vos armaturam Dei" (Ef 6,11).

85. Armem-se então com as armas de Deus, com o Santo Rosário, e esmagarão a cabeça do demônio, e permaneçam tranquilos contra todas as tentações. Por isso o próprio Rosário é tão terrível ao diabo, e

os santos dele se serviram para acorrentá-lo e expulsá-lo do corpo do possuído – assim como testemunhado por tantas histórias.

86. O Bem-aventurado Alain conta que um homem, depois de ter tentado em vão todo tipo de práticas de devoção para se libertar do espírito maligno que o possuía, decidiu usar o Rosário em volta do pescoço, o que o aliviou. E ao constatar que assim que o retirava, o demônio voltava a atormentá-lo cruelmente, resolveu usá-lo dia e noite, e com isso expulsou o demônio para sempre, pois este não podia suportar uma corrente tão atroz. Relata também que ele próprio libertou um grande número de possuídos ao colocar um Rosário em volta do pescoço deles.

87. O Padre Jean Amat, da ordem dos dominicanos, fazia o sermão da Quaresma em alguma parte do reino de Aragão quando lhe trouxeram uma jovem possuída pelo demônio; depois de ter tentado exorcizá-la várias vezes sem o conseguir, colocou um Rosário em volta do pescoço da jovem que imediatamente começou a dar gritos e urros assustadores e a dizer: "Tirem, tirem de mim essas contas que me machucam". Sentindo compaixão pela pobre moça, o padre acabou retirando-lhe o Rosário do pescoço. Na noite seguinte, descansava em sua cama quando os mesmos demônios que possuíam a moça vieram

até ele e, espumando de raiva, tentaram se apoderar de sua pessoa; mas como segurasse o Rosário na mão, apesar dos esforços que fizeram para arrancá-lo, chicoteou-os e expulsou-os dizendo: "Santa Maria, Nossa Senhora do Santo Rosário, socorrei-me!" No dia seguinte, foi à igreja e encontrou a pobre moça ainda possuída; um dos demônios começou a dizer em tom de galhofa: "Ah! irmão, se não estivesse com o Rosário, teríamos acabado com você". Então o padre colocou seu Rosário em volta do pescoço da moça, dizendo: "Pelos sagrados nomes de Jesus e de Maria, sua santa Mãe, e pela virtude do Santíssimo Rosário, eu ordeno, espíritos malignos, que saiam desse corpo já"; eles foram obrigados a obedecê-lo, e ela foi libertada. Essas histórias nos mostram como é grande a força do Santo Rosário para vencer todo tipo de tentações dos demônios e todo tipo de pecados, pois suas contas bentas os colocam para correr.

### 28ª rosa

88. Santo Agostinho garante que não há exercício mais frutuoso e mais útil à salvação do que pensar com frequência nos sofrimentos de Nosso Senhor. O Bem-aventurado Alberto, o Grande, professor de Santo Tomás de Aquino, soube por revelação que a simples lembrança ou meditação sobre a paixão de Jesus Cristo é mais meritória ao cristão do que jejuar a pão e água todas as sextas-feiras, ou se chicotear

até sangrar todas as semanas, ou recitar diariamente o saltério. Ah! Qual é então o mérito do Rosário, que relembra toda a vida e a paixão de Nosso Senhor? Um dia, a Santíssima Virgem revelou ao Bem-aventurado Alain de la Roche que depois do santo sacrifício da missa, que é a primeira e a mais viva memória da paixão de Jesus Cristo, não há devoção mais perfeita e meritória do que o Rosário, que é como uma segunda memória e representação da vida e da paixão de Jesus Cristo.

89. O Padre Dorland relatou que a Santíssima Virgem disse ao venerável Domingos, um cartusiano devoto do Santo Rosário, que em 1481 residia em Trèves: "Todas as vezes que um fiel que está em estado de graça reza o Rosário e medita sobre os mistérios da vida e da paixão de Jesus Cristo, ele obtém plena e completa remissão de todos seus pecados". E disse também ao Bem-aventurado Alain: "Saiba que embora muitas indulgências já tenham sido dadas ao meu Rosário, a elas adicionarei muitas mais a cada cinquenta Ave-Marias rezadas devotamente, de joelhos e sem pecado mortal. E quem perseverar na devoção ao Santo Rosário rezando-o por completo e meditando, como recompensa receberá no fim da vida a plena remissão da pena e da culpa de todos seus pecados. E não considere isso inverossímil; para mim é fácil, pois sou a Mãe do Rei dos Céus, que me chama Cheia de

Graça, e sendo cheia de graça eu a espalharei a meus queridos filhos".

90. São Domingos estava tão convencido da eficácia e do mérito do Santo Rosário que não dava outra penitência aos que confessava – como vimos no relato sobre a senhora romana à qual deu como penitência rezar um Rosário. Para seguir o caminho desse grande santo, os confessores também deveriam prescrevê-lo aos penitentes junto com a meditação sobre os sagrados mistérios, pois as outras penitências não têm o mesmo mérito, nem são tão agradáveis a Deus, nem tão salutares às almas para fazê-las avançar na virtude; não são tão eficazes para impedi-las de cair no pecado. Além do mais, ao rezar o Rosário ganha-se uma quantidade de indulgências que não estão ligadas às outras devoções.

91. Como disse o Abade Blósio: "É evidente que o Rosário, acompanhado das meditações sobre a vida e a paixão, é muito agradável a Jesus Cristo e à Santíssima Virgem, além de muito eficaz para se obter qualquer coisa; também podemos rezá-lo por nós, por aqueles que nos são recomendados e por toda a Igreja. Recorramos, pois, à devoção ao Santo Rosário em todas as nossas necessidades e sempre obteremos o que pedirmos a Deus para nossa salvação.

## 29ª rosa

92. De acordo com São Dionísio, não há nada mais divino, mais nobre ou agradável a Deus do que cooperar para a salvação das almas e aniquilar as maquinações do diabo, que se empenha em levá-las à perdição. Foi por essa razão que o Filho de Deus veio à terra. Ele havia destruído o império de satanás com a fundação da Igreja, mas esse tirano recuperou suas forças, espalhou ódios, dissenções e abomináveis vícios durante o século XI, e assim exerceu uma cruel violência sobre as almas dos albigenses. Qual o remédio para essas grandes desordens, como abater as forças de satanás? A Santíssima Virgem, protetora da Igreja, nos deu a confraria do Santo Rosário, que é o meio mais eficaz para apaziguar a cólera de seu Filho, para extirpar a heresia e reformar os costumes dos cristãos. Como de fato ocorreu, pois renovou a caridade, a frequentação dos sacramentos como nos primeiros séculos de ouro da Igreja e reformou os costumes dos cristãos.

93. Em sua bula, o Papa Leão X afirmou que essa confraria foi fundada em honra de Deus e da Santíssima Virgem para ser uma muralha contra os avanços dos infortúnios que iriam se abater sobre a Igreja. Gregório XIII disse que o Rosário foi dado pelo céu como um meio de apaziguar a cólera de Deus e de implorar a intercessão da Santíssima Virgem. Jú-

lio III mencionou que o Rosário foi inspirado para nos facilitar o caminho ao céu por meio das bênçãos da Santíssima Virgem. Paulo III e o Bem-aventurado Papa Pio V declararam que o Rosário foi estabelecido e dado aos fiéis para que o descanso e o consolo espirituais fossem alcançados com mais eficácia. Quem deixará de entrar em uma confraria instituída para fins tão nobres?

94. O Padre Domingos, um cartusiano muito devoto do Rosário, teve uma visão em que o céu se abria e toda a corte celeste estava organizada de forma admirável; ouviu então o Rosário ser cantado em uma maravilhosa melodia, honrando a cada dezena um mistério da vida, da paixão e da glória de Jesus Cristo e da Santíssima Virgem. E observou que quando pronunciavam o sagrado nome de Maria todos inclinavam a cabeça, e ao nome de Jesus todos se ajoelhavam e rendiam graças a Deus pelos grandes benefícios que Ele fez ao céu e à terra por meio do Santo Rosário. Viu também a Santíssima Virgem e os santos apresentarem a Deus os Rosários que aqui na terra são rezados pelos confrades, e orarem por aqueles que praticam essa devoção; viu ainda belas e perfumadas coroas de flores preparadas para aqueles que rezam devotamente o Santo Rosário, e sempre que o fazem ganham uma coroa com a qual serão adornados no céu. A visão desse devoto cartusiano

é igual à do discípulo bem-amado, na qual viu uma grande multidão de anjos e de santos louvando e bendizendo Jesus Cristo por tudo o que fez e sofreu neste mundo para nossa salvação. E não é isso o que fazem os devotos confrades do Rosário?

95. Não se deve pensar que o Rosário é apenas para as mulheres, para os simples e os ignorantes; também é para os homens, e mesmo os mais importantes. Tão logo recebeu de São Domingos o comunicado sobre a ordem recebida do céu para estabelecer essa santa confraria, o Papa Inocêncio III a aprovou, exortou-o a pregá-la e desejou fazer parte dela. Até os cardeais a abraçaram com um grande fervor, de forma que Lopez disse as seguintes palavras: "Nullum sexum, nullam aetatem, nullam conditionem ab oratione rosarii subtraxit se". Por isso encontramos nessa confraria tantos duques, príncipes e reis quanto prelados, cardeais e soberanos pontífices, cujos nomes seria demasiado longo citar neste livro. Ao entrar, caro leitor, você participará da devoção e das graças na terra e da glória no céu. "Cum quibus consortium vobis erit devotionis, erit et communio dignitatis".

### 30ª rosa

96. Se os privilégios, as graças e as indulgências tornam uma confraria recomendável, podemos di-

zer que a do Rosário é a mais recomendada pela Igreja, pois é a mais favorecida e enriquecida pelas indulgências. Desde sua instituição, praticamente todos os papas abriram os tesouros da Igreja para gratificá-la; e como o exemplo persuade melhor do que as palavras e os benefícios, a melhor maneira dos Santos Padres demonstrarem a estima dedicada a essa santa confraria foi fazer parte dela. Eis um pequeno resumo das indulgências concedidas pelos Soberanos Pontífices à confraria do Santo Rosário, novamente confirmadas pelo Santo Padre o Papa Inocêncio XI, em 31 de julho de 1679, recebidas e publicadas com a permissão do arcebispo de Paris em 25 de setembro do mesmo ano:

1) No dia em que entrarem na confraria: indulgência plenária.

2) Na hora da morte: indulgência plenária.

3) Para cada um dos terços do Rosário: dez anos e dez quarentenas de indulgências.

4) Toda vez que os santos nomes de Jesus e de Maria são pronunciados devotamente: sete dias de indulgências.

5) Para aqueles que assistirem devotamente à procissão do Santo Rosário: sete anos e sete quarentenas de indulgências.

6) Para aqueles que, verdadeiramente penitentes e que tiverem se confessado, visitarem nos primeiros domingos de cada mês e nas festas de

Nosso Senhor e da Santíssima Virgem a capela do Rosário na igreja onde está estabelecida: indulgência plenária.

7) Para aqueles que assistem ao Salve Rainha: cem dias de indulgência.

8) Para aqueles que devotamente e para dar bom exemplo usam abertamente o Santo Rosário: cem dias de indulgências.

9) Aos confrades doentes que no mesmo dia da confissão e da comunhão rezarem o Santo Rosário ou pelo menos um terço: indulgência plenária no dia marcado para ganhá-la.

10) Os Santos Padres generosamente deram aos confrades do Santo Rosário a faculdade de ganhar as indulgências ligadas às Estações de Roma: visitar cinco altares e diante de cada um deles rezar cinco Pai-nossos e cinco Ave-Marias, para o feliz estado da Igreja. Se na igreja onde a confraria do Rosário está estabelecida houver só um altar ou dois, rezarão vinte e cinco vezes o Pai-nosso e a Ave-Maria diante desse altar.

97. É uma grande bênção para os confrades do Santo Rosário, pois ao visitarem as igrejas das Estações de Roma recebem as indulgências plenárias, a libertação das almas do purgatório e várias outras grandes remissões – sem esforço, sem custos, sem sair de seus países. E de acordo com a concessão

dada por Leão X, se a confraria não estiver estabelecida onde os confrades moram, mesmo assim poderão recebê-las quando visitarem cinco altares de qualquer igreja. Para as pessoas que não se encontram em Roma, o Santo Padre aprovou, em 7 de março de 1678, o decreto da Sagrada Congregação sobre as indulgências; ordenou também que ele deve ser inviolavelmente observado. O decreto determina e estabelece os dias em que elas podem ser recebidas:

- Todos os domingos do Advento.
- Nos três dias do jejum das Quatro Têmporas.
- Na vigília de Natal, nas missas de meia-noite, da aurora e do dia.
- Nas festas de Santo Estêvão, de São João o Evangelista, dos Inocentes, da Circuncisão e dos Reis.
- Nos domingos da Septuagésima, Sexagésima, Quinquagésima e, a partir do dia das Cinzas, todos os dias até inclusive o domingo Quasímodo.
- Nos três dias das Rogações.
- No dia da Ascensão.
- Na vigília de Pentecostes, em todos os dias da oitava e nos três dias das Quatro Têmporas de setembro.

Caro confrade do Rosário, há muitas outras indulgências. Se quiser, leia o sumário das que são concedidas aos confrades do Rosário. Ali encontrará os nomes dos papas, o ano e outras particularidades que não cabem neste livro.

# Quarta dezena
# A perfeição do Santo Rosário
# nas maravilhas operadas por Deus
# em seu benefício

### 31ª rosa

98. Santa Branca, rainha da França que estava muito angustiada por não ter filhos após doze anos de casamento, recebeu a visita de São Domingos que a aconselhou a rezar o Rosário todos os dias para obter esta graça do céu. Ela seguiu seu conselho e em 1213 deu à luz Felipe, seu primogênito. Mas como este morreu ainda bebê, a devota rainha mais do que nunca recorreu à Santíssima Virgem e mandou distribuir Rosários para toda a corte e em várias cidades do reino para que Deus lhe proporcionasse uma bênção completa. E foi o que aconteceu. Em 1215, ela deu à luz aquele que seria conhecido como São Luís, que seria a glória da França e o modelo dos reis cristãos.

99. Por causa de seus pecados, Afonso VIII, rei de Aragão e de Castela, recebeu vários castigos de Deus e acabou se refugiando na cidade de um de seus aliados. Como no dia de Natal se encontrasse nessa mesma cidade, São Domingos como de costume pregou o Rosário e as graças obtidas de Deus por

meio dessa devoção e disse, entre outras coisas, que aqueles que o rezassem devotamente obteriam a vitória sobre seus inimigos e recuperariam tudo o que haviam perdido. O rei guardou bem essas palavras, mandou perguntar a São Domingos se era verdade o que ele havia pregado sobre o Santo Rosário. O santo respondeu que não devia duvidar disso e prometeu-lhe que veria seus efeitos se quisesse praticar essa devoção e entrar na confraria. Afonso decidiu rezá-lo todos os dias e o fez durante um ano. No dia de Natal, depois de ter rezado o Rosário, a Santíssima Virgem apareceu e disse-lhe: "Afonso, já faz um ano que você me serve devotamente por meio de meu Rosário, venho recompensá-lo. Saiba que obtive de meu Filho o perdão de todos os seus pecados; trago-lhe este Rosário, carregue-o consigo e nenhum dos seus inimigos jamais poderá prejudicá-lo". Ela desapareceu e deixou o rei muito consolado. Segurando o rosário na mão, contou alegremente à rainha a bênção que acabara de receber da Santíssima Virgem; tocou-lhe então os olhos com esse Rosário e ela recobrou a visão que havia perdido. Algum tempo depois, o rei reuniu algumas tropas e com a ajuda de seus aliados atacou violentamente seus inimigos, obrigou-os a devolver suas terras e a reparar os prejuízos. Expulsou-os completamente, e a sorte na guerra foi tanta que de todos os lados vinham soldados para combater sob seu estandarte, pois as vitórias pareciam acompanhar todas suas batalhas. E ninguém deve se surpreender com isso, porque ele só se entregava aos combates depois de ter rezado o Rosário de joelhos; pedia que toda sua corte fosse recebida na confraria do Santo Rosário e obrigava seus oficiais e criados a serem devotos. Também a rainha se engajou, e ambos perseveraram no serviço à Santíssima Virgem e viveram em grande piedade.

### 32ª rosa (B. Alain, c. 53)

100. São Domingos tinha um primo chamado dom Perez ou Pedro que levava uma vida bastante dissoluta. Tendo ouvido que o santo pregava as maravilhas do Santo Rosário e que vários se convertiam e mudavam de vida com isso, ele disse: "Já havia perdido a esperança de minha salvação, mas começo a tomar coragem, preciso ouvir esse homem de Deus". E foi então ouvi-lo fazer seu sermão. Quando o santo o viu, redobrou seu fervor ao falar contra os vícios, e pediu de todo coração que Deus abrisse os olhos de seu primo e o fizesse conhecer o estado miserável de sua alma. Dom Perez primeiramente se assustou, mas não tomou a decisão de se converter; voltou mais uma vez ao sermão e o santo, ao ver que esse coração endurecido não se converteria sem algo extraordinário, gritou bem alto: "Senhor Jesus, fazei com que toda a audiência veja o estado em que se encontra aquele que acaba de entrar em vossa casa". En-

tão todas aquelas pessoas viram Dom Perez cercado por um exército de diabos em forma de animais horríveis que o mantinham preso com correntes de ferro. Todos fugiram e ele assustou-se ainda mais ao se ver como objeto do horror de todas aquelas pessoas. São Domingos os conteve e disse ao primo: "Infeliz, conheça o estado deplorável em que se encontra; jogue-se aos pés da Santíssima Virgem". Deu-lhe um Rosário. "Pegue esse Rosário, reze-o com devoção e arrependimento de seus pecados e tome a decisão de mudar de vida". Ele ajoelhou-se e rezou o Rosário; sentiu-se inspirado a se confessar e o fez com uma grande contrição. O santo ordenou-lhe que o rezasse todos os dias; ele prometeu fazê-lo e inscreveu-se na confraria. Ao sair da igreja, seu rosto, que antes assustara a todos, pareceu radiante como o de um anjo. Perseverou na devoção ao Rosário, levou uma vida muito regrada e morreu feliz.

### 33ª rosa

101. Quando pegava o Santo Rosário perto de Carcassone, trouxeram a São Domingos um herege albigense que estava possuído pelo demônio. O santo o exorcizou na presença de uma multidão; dizem que havia mais de doze mil homens a ouvi-lo. Quando obrigados a responder as perguntas feitas pelo santo, os demônios que possuíam esse pobre miserável disseram:

1) Que eram quinze mil no corpo do miserável, porque ele havia atacado os quinze mistérios do Rosário.

2) Que todo o inferno estava aterrorizado e apavorado por causa de sua pregação do Rosário, que era o homem mais odiado porque lhes roubava as almas pela devoção ao Rosário.

3) Revelaram várias outras particularidades.

São Domingos colocou seu Rosário em torno do pescoço do possuído, perguntou-lhes qual de todos os santos do céu eles mais temiam e devia ser o mais amado e honrado pelos homens. Ao ouvir a pergunta, deram um grito tão assustador que a maioria dos ouvintes se apavorou e caiu no chão. Para não responder, esses espíritos malignos choraram e lamentaram de uma maneira tão lastimável e tocante que vários dos assistentes também choraram com uma piedade natural. Diziam pela boca do possuído com um tom de voz lamurioso: "Domingos, Domingos, tenha piedade de nós, prometemos que nunca o prejudicaremos. Você que tanta piedade tem dos pecadores e dos miseráveis, tenha piedade de nós, miseráveis. Infelizmente, sofremos, por que sente prazer em aumentar nossa dor? Contente-se com as dores que sofremos. Misericórdia! Misericórdia".

102. Sem se comover com as palavras ternas desses infelizes espíritos, o santo disse-lhes que só deixaria

de atormentá-los quando respondessem à pergunta. Os demônios disseram que responderiam, mas o fariam em segredo, ao ouvido, e não diante de todos. O santo incitou e ordenou que falassem e respondessem bem alto. E apesar da ordem, os diabos não falaram. São Domingos ajoelhou-se e fez a seguinte prece à Nossa Senhora: "O excellentissima Virgo Maria, per virtutem psalterii et rosarii tui, compelle hos humani generis hostes questioni meae satisfacere". Ó excelentíssima Virgem Maria, pela virtude do Santo Rosário, ordenai a esses inimigos do gênero humano que respondam à minha questão". Ao fim da prece, eis que uma chama ardente saiu das orelhas, das narinas e da boca do possuído, que fez todos tremerem mas que não machucou ninguém. Então os diabos exclamaram: "Domingos, nós pedimos, pela paixão de Jesus Cristo e pelos méritos de sua Santa Mãe e de todos os santos, que nos permita sair desse corpo sem nada dizer; pois os anjos, quando você desejar, o revelarão. Afinal, não somos mentirosos? Por que quer acreditar em nós? Não nos atormente mais, tenha piedade de nós". "Infelizes, indignos de serem atendidos", disse São Domingos, que se ajoelhou e fez uma prece à Santíssima Virgem: "O Mater sapientiae dignissima et de cujus salutatione quomodo illa fieri debeat jam edoctus est populus; pro salute populi circunstantis rogo: Coge hosce tuos adversarios, ut plenam et sinceram veritatem palam hic profiteantur". Nem bem acabou e viu a Santíssima Virgem cercada por uma grande multidão de anjos, ela batia no demônio com a espada de ouro que tinha na mão e dizia-lhe: "Responda a meu servidor Domingos, segundo seu pedido". Deve-se observar que as pessoas não ouviam nem viam a Santíssima Virgem, só Domingos.

103. Então os demônios começaram a gritar: "O inimica nostra, o nostra damnatrix, o nostra inimica, o nostra domnatrix, o confusio nostra, quare de coelo descendisti, ut nos hic ita torqueres? Per te quae infernum evacuas et pro peccatoribus tanquam potens advocata exoras; o Via coeli certissima et securissima, cogimur sine mora et intermissione ulla, nobis quamvis invitis, et contra nitentibus, totam rei proferre veritatem. Nunc declarandum nobis est simulque publicandum ipsum medium et modus quo ipsimet confundamur, unde vae et maledictio in aeternum nostris tenebrarum principibus. Audite igitur vos, christiani. Haec christi Mater potentissima est in preservandis suis servis quominus precipites ruant in baratrum nostrum inferni. Illa est quae dissipat et enervat, ut sol, tenebras omnium machinarum et astutiarum nostrarum, detegit omnes fallacias nostras et ad nihilum redegit omnes nostras tentationes. Coactique fatemur neminem nobiscum damnari qui ejus sancto cultui et pio obsequio devo-

tus perseverat. Unicum ipsius suspirum, ab ispa et per ipsam sanctissimae Trinitati oblatum, superat et excedit omnium sanctorum preces, atque pium et sanctum eorum votum et desiderium, magisque eum formidamus quam omnes paradisi sanctos; nec contra fideles ejus famulos quidquam praevalere possumus. Notum sit etiam vobis plurimos christianos in hora mortis ipsam invocantes contra nostra jura salvari, et nisi Marietta illa obstitisset nostrosque conatus repressisset, a longo jam tempore totam Ecclesiam exterminassemus, nam saepissime universos Ecclesiae status et ordines a fide deficere fecissemus. Imo planius et plenius vi et necessita compulsi, adhuc vobis dicimus, nullum in exercitio Rosarii sive psalterii ejus perseverantem aeternos suis veram impetrat contritionem qua fit ut peccata sua confiteantur, et eorum indulgentiam a Deo consequantur".

104. Ou seja: "Ó nossa inimiga, ó nossa ruína, ó nossa confusão, por que viestes do céu para nos atormentar assim? É preciso que, apesar de nós, ó advogada dos pecadores que os retirais dos infernos, ó caminho certo para o paraíso, sejamos obrigados a dizer toda a verdade? É preciso que confessemos diante de todos o que será a causa de nossa confusão e de nossa ruína? Pobre de nós, pobres de nossos príncipes das trevas. Ouçam então, cristãos. A Mãe de Jesus Cristo tem todo o poder para impedir que

seus servidores não vão para o inferno; é ela que, como um sol, dissipa as trevas de nossas minas, que rompe nossas armadilhas e torna todas as tentações inúteis e sem efeito. Somos obrigados a confessar que nenhum daqueles que perseveram em seu serviço está condenado. Um único de seus suspiros, que ela oferece à Santíssima Trindade, supera todas as preces, os votos e os desejos de todos os santos. Nós a tememos mais que todos os bem-aventurados juntos e não podemos nada contra seus fiéis servidores. Vários cristãos que só a invocam na hora da morte, e que segundo nossas leis comuns deveriam ser condenados, são salvos por sua intercessão. Ah! Se essa Mariazinha (é assim que por raiva a chamavam) não se tivesse oposto aos nossos desejos e aos nossos esforços, há muito tempo já teríamos derrubado e destruído a Igreja e atraído todas suas ordens para o erro e a infidelidade. E pela violência que nos fizeram, protestamos também porque nenhum daqueles que perseveram em dizer o Rosário é condenado, pois ela obtém para seus devotos servidores uma verdadeira contrição dos pecados, o perdão e a indulgência". Em seguida, São Domingos pediu para que todos rezassem o Rosário de maneira lenta e devota, e a cada Ave-Maria que o santo e as pessoas rezavam ocorria uma coisa espantosa: na forma de carvões ardentes, uma grande multidão de demônios saía do corpo do infeliz. Quando todos saíram e o herege estava totalmente livre deles, a Santíssima Virgem deu, ainda que invisivelmente, sua bênção a todo o povo, que sentiu então uma imensa alegria. Em virtude desse milagre, um grande número de hereges se converteu e entrou para a confraria do Santo Rosário.

### 34ª rosa (B. Alain, 2e p., c.17)

105. Quem poderia narrar as vitórias que Simon, conde de Montfort, obteve sobre os albigenses sob a proteção de Nossa Senhora do Rosário? São tão extraordinárias que o mundo nunca mais viu nada igual. Em certa ocasião, derrotou dez mil hereges com apenas quinhentos homens; em outra, com trinta venceu três mil; em seguida, com oitocentos cavaleiros e mil homens de infantaria destruiu o exército do rei de Aragão – que dispunha de cem mil homens – perdendo apenas um cavaleiro e oito soldados.

106. E de quantos perigos a Santíssima Virgem livrou Alain de l'Anvallay, cavaleiro bretão, que pela fé lutava contra os albigenses! Um dia, quando estava cercado de todos os lados por seus inimigos, a Santíssima Virgem lançou contra eles cento e cinquenta pedras e o livrou de suas mãos. Um outro dia, como seu barco estivesse afundando e quase naufragando, essa boa Mãe fez surgir cento e cinquenta pequenas colinas sobre as quais ele abordou na Bretanha. E em memória dos milagres por ela realizados em seu be-

nefício em virtude do Rosário rezado diariamente, ele ergueu um mosteiro em Dinan para alojar os religiosos da nova ordem de São Domingos, onde tornou-se religioso e morreu santamente em Orleans.

107. Otero, também soldado bretão de Vaucouleurs, em várias ocasiões escorraçou companhias inteiras de hereges e de ladrões apenas com a ajuda de um Rosário colocado no braço ou no punho de sua espada. Depois de vencidos, seus inimigos confessaram que certa vez viram sua espada brilhar, e que assim que erguia seu escudo – no qual estavam representados Jesus Cristo, a Santíssima Virgem e os santos – tornava-se invencível e forte para atacar. Outra vez, com dez companhias derrotou vinte mil hereges sem perder um único homem. O general do exército herege ficou tão impressionado que foi ao encontro de Otero, abjurou sua heresia e declarou que o tinha visto coberto com armas de fogo durante o combate.

### 35ª rosa (B. Alain, 4e p., c 40)

108. O Bem-aventurado Alain conta que um cardeal chamado Pedro, de Santa Maria do outro lado do Tibre, instruído por São Domingos, seu amigo íntimo, na devoção ao Santo Rosário, apegou-se de tal forma que o elogiava e o aconselhava a todos. O cardeal foi enviado como legado à Terra Santa para se encontrar com os cruzados cristãos que lutavam

contra os sarracenos. Convenceu de tal maneira o exército cristão sobre a eficácia do Rosário que, durante um combate, todos se puseram a rezá-lo para implorar o auxílio do céu e venceram a batalha em que eram apenas três mil contra cem mil. Os demônios, como vimos, temiam muito o Rosário. São Bernardo disse que a Ave-Maria os persegue e os faz tremer no inferno. O Bem-aventurado Alain garante ter visto várias pessoas que se entregaram de corpo e alma ao diabo, ao renunciar ao Batismo e a Jesus Cristo, terem se libertado de sua tirania depois de se devotarem ao Santo Rosário .

### 36ª rosa

109. Em 1578, uma mulher de Anvers submetera-se ao demônio depois de ter assinado um contrato com seu próprio sangue. Algum tempo depois, arrependeu-se sensivelmente e desejou reparar o mal que fizera. Procurou um confessor prudente e caridoso para saber como poderia se libertar do poder do diabo. Encontrou um padre sábio e devoto que a aconselhou a procurar o Padre Henri, do convento de São Domingos e diretor da confraria do Santo Rosário, a fim de ser aceita na confraria e de se confessar. Ela foi ao seu encontro e no lugar do padre estava o diabo disfarçado de religioso. Este a repreendeu severamente dizendo-lhe que não esperasse mais nenhuma graça de Deus, nem meio de revogar o que assinara,

o que a deixou muito angustiada. Mas não perdeu a esperança na misericórdia de Deus e procurou mais uma vez o padre e novamente encontrou o diabo, que a repreendeu como antes. Retornou pela terceira vez e, com a permissão divina, foi recebida caridosamente pelo Padre Henri, que pediu que confiasse na bondade de Deus e fizesse uma boa confissão. Ele a aceitou na confraria e ordenou que rezasse com frequência o Rosário. Um dia, durante a Missa que o padre celebrava para a Santíssima Virgem, esta apareceu e forçou o diabo a devolver o contrato assinado, e assim a mulher foi libertada pela autoridade de Maria e pela devoção ao Santo Rosário.

### 37ª rosa

110. Um senhor com vários filhos colocou uma de suas filhas em um mosteiro completamente desregrado, onde as religiosas só respiravam vaidade e prazeres. Como o confessor, um homem fervoroso e devoto do Santo Rosário, desejasse guiar essa religiosa nas práticas de uma vida melhor, ordenou-lhe que rezasse o Rosário todos os dias em honra da Santíssima Virgem, meditando sobre a vida, a paixão e a glória de Jesus Cristo. Ela aceitou a devoção. Pouco a pouco foi se desgostando do desregramento de suas irmãs e preferindo o silêncio e a oração, apesar do desprezo e das zombarias das que a tratavam de beata. Nessa época, em uma visita ao mosteiro,

um santo abade ao fazer suas orações teve uma estranha visão: pareceu-lhe ver uma religiosa em sua cela rezando diante de uma senhora admiravelmente bela e acompanhada de um exército de anjos, que com dardos flamejantes expulsavam uma multidão de demônios que desejavam entrar. Disfarçados de animais imundos, esses espíritos malignos corriam para as celas das outras religiosas para excitá-las ao pecado, com o qual várias concordavam. Essa visão revelou ao abade o terrível estado em que se encontrava o mosteiro; pensou que morreria de tristeza. Chamou então a jovem religiosa e a exortou à perseverança. Ao refletir sobre a perfeição do Rosário, tomou a decisão de usar a devoção para reformar essas religiosas. Comprou belos rosários e deu um para cada uma delas; convenceu-as a rezá-lo todos os dias prometendo-lhes que, caso aceitassem fazê-lo, não as obrigaria a se reformar. Elas receberam de bom grado os rosários e prometeram rezá-los sob essa condição – algo admirável! Pouco a pouco foram abandonando suas vaidades, dedicaram-se ao silêncio e ao recolhimento, e em menos de um ano todas pediram a reforma. O Rosário produziu mais transformações em seus corações do que o abade poderia ter conseguido com suas exortações e sua autoridade.

### 38ª rosa

111. Uma condessa espanhola, que fora instruída na devoção ao Santo Rosário por São Domingos, rezava-o todos os dias com maravilhosos progressos na virtude. Como só pensasse na perfeição, pediu a um bispo e famoso pregador algumas práticas para alcançá-la. O bispo disse-lhe que, primeiramente, precisava conhecer o estado de sua alma e os exercícios de piedade por ela praticados; a condessa contou-lhe que o principal era a reza diária do Rosário e a meditação sobre os mistérios gozosos, dolorosos e gloriosos, que traziam um grande benefício espiritual para sua alma. Encantado por ouvir a explicação sobre as raras instruções contidas nos mistérios, o bispo disse-lhe: "Há vinte anos sou doutor em teologia, li uma grande variedade de excelentes práticas de devoção, mas não conheci nada mais frutuoso nem mais conforme ao cristianismo. Quero imitá-la; pregarei o Rosário". E o sucesso foi tanto que em pouco tempo viu uma grande mudança nos costumes de sua diocese, várias conversões, restituições e reconciliações; os desregramentos, o jogo e o luxo cessaram; a paz na família, a devoção e a caridade começaram a desabrochar.

Mudança tanto mais admirável porque mesmo tendo trabalhado muito para reformar sua diocese o bispo obtivera poucos resultados. Para ter mais êxito na persuasão da devoção ao Rosário, ele sempre carregava um belíssimo e o mostrava aos seus ouvintes. Dizia: "Saibam, meus irmãos, que o Rosário da Santíssima Virgem é tão excelente que eu, bispo, doutor em teologia e em um ou outro direito, fico contente de sempre carregá-lo como a mais ilustre marca de meu episcopado e doutorado".

### 39ª rosa

112. Para a maior glória de Deus e com grande alegria em sua alma, um padre dinamarquês sempre contava que, assim como esse bispo, ele também vira a devoção ao Santo Rosário produzir o mesmo efeito em sua paróquia. "Tinha", dizia ele, "pregado todas as matérias mais prementes e mais frutuosas, sem qualquer benefício; não via nenhuma recuperação em minha paróquia; por fim, decidi pregar o Santo Rosário, expliquei sua excelência e sua prática, e afirmo que, depois de ter feito as pessoas experimentarem essa devoção, vi uma evidente mudança em seis meses. Assim como é verdadeiro que essa divina oração tem um poder divino para tocar os corações e lhes inspirar o horror ao pecado e o amor à virtude". A Santíssima Virgem disse um dia ao Bem-aventurado Alain: "Assim como Deus escolheu a Ave-Maria para a Encarnação de seu Verbo e a Redenção dos homens, também assim aqueles que desejam refor-

mar os costumes dos povos e regenerá-los em Jesus Cristo me devem honrar e saudar com a mesma saudação. Sou, acrescentou, a via pela qual Deus veio aos homens e é preciso que depois de Jesus Cristo eles obtenham a graça e as virtudes através de mim".

113. Quanto a mim, relato que por experiência própria aprendi a força dessa oração na conversão dos corações mais endurecidos. E encontrei alguns sobre os quais todas as mais terríveis verdades pregadas em uma missão não haviam causado nenhuma impressão, e que se converteram e entregaram tudo a Deus depois de terem começado, a meu conselho, a prática de rezar o Rosário todos os dias. Vi uma infinita diferença entre os costumes dos povos das paróquias onde fizera algumas missões, pois uns, por terem abandonado a prática do terço e do Rosário, recomeçaram a pecar; e os outros, por terem-na conservado, mantiveram-se na graça de Deus e a cada dia cresciam na virtude.

### 40ª rosa

114. O Bem-aventurado Alain de la Roche, o Padre Jean Dumont, o Padre Thomas, as crônicas de São Domingos e de outros autores – que muitas vezes foram testemunhas oculares – relatam um gran-

de número de conversões milagrosas de pecadores e pecadoras que nos últimos 20, 30 e 40 anos viveram de forma desregrada e nada conseguira convertê-los, e que o foram por meio dessa maravilhosa devoção. Como creio que são muito extensas, não vou relatá--las. E por várias razões não mencionarei nem mesmo aquelas que vi com meus próprios olhos. Caro leitor, se praticar e pregar essa devoção, você aprenderá com essa experiência mais do que em qualquer livro e vivenciará o efeito das promessas feitas pela Santíssima Virgem a São Domingos, ao Bem-aventurado Alain de la Roche e aos que fizeram florescer essa devoção que lhe é tão agradável, que instrui os povos sobre as virtudes de seu Filho e as suas. Devoção que leva à oração mental, à imitação de Jesus Cristo, à frequentação dos sacramentos, à prática sólida das virtudes e de todo tipo de boas obras. E a ganhar todas as belas indulgências ignoradas pelas pessoas, pois os pregadores dessa devoção raramente falam sobre elas e contentam-se em fazer um sermão sobre o Rosário, muitas vezes despertando apenas a admiração e não a instrução.

115. Por fim, contento-me em dizer, junto com o Bem-aventurado Alain de la Roche, que o Rosário é uma fonte e um reservatório de todo tipo de bênças:

1) **P**eccatoribus praestat poenitentiam;
2) **S**itientibus stillat satietatem;
3) **A**lligatis adducit absolutionem;
4) **L**ugentibus largitur laetitiam;
5) **T**entatis tradit tranquillitatem;
6) **E**genis expellit egestatem;
7) **R**eligiosis reddit reformationem;
8) **I**gnorantibus inducit intelligentiam;
9) **V**ivis vincit vastitatem;
10) **M**ortuis mittit misericordian per modum suffragii. "Volo", disse um dia a Santíssima Virgem ao Bem-aventurado Alain, "ut psaltae mei in vita et in morte, et post mortem habeant benedictionem, gratiae plenitudinem ac libertatem, inmunesque sint a caecitate, obduratione, inopia ac servitute", ou seja, "Quero que os devotos de meu Rosário tenham a graça e a bênção de meu Filho durante a vida, na hora da morte e depois da morte, e que sejam libertados de todo tipo de escravidão e que sejam reis, que tenham a coroa sobre a cabeça, o cetro na mão e a glória eterna. Assim seja".

## Quinta dezena
## A maneira santa de rezar o Rosário

### 41ª rosa

116. Não é propriamente a duração, mas o fervor da reza que agrada a Deus e conquista seu coração. Há mais mérito em uma única Ave-Maria bem reza-

da do que em cento e cinquenta mal rezadas. Quase todos os cristãos católicos rezam o Rosário, o terço ou pelo menos algumas dezenas de Ave-Marias. Então por que são tão poucos os que se corrigem de seus pecados e progridem na virtude? Talvez porque não rezem como se deve.

117. Vejamos então como devem rezá-lo para agradar a Deus e se tornarem mais santos. Em primeiro lugar, a pessoa que reza o Santo Rosário deve estar em estado de graça ou pelo menos ter decidido sair do pecado, porque toda a teologia nos ensina que as boas obras e as orações feitas em pecado mortal são obras mortas, pois não podem agradar a Deus nem merecer a vida eterna; é nesse sentido que está escrito: "Non est speciosa laus in ore peccatoris", ou seja, "O louvor não é belo na boca do pecador" (Eclo 15,9). O louvor, a Ave-Maria e mesmo o Pai-nosso não são agradáveis a Deus quando saem da boca de um pecador impenitente: "Populus hic labiis me honorat, cor autem eorum longe est a me", ou seja, "Este povo honra-me com os lábios, mas o seu coração está longe de mim" (Mc 7,6). Essas pessoas que entram nas minhas confrarias (diz Jesus Cristo), que recitam todos os dias o terço ou o Rosário sem nenhuma contrição de seus pecados, me honram da boca para fora, mas seu coração está bem distante de mim. [2] Eu disse mais acima: "ou pelo menos ter decidido sair do pecado":

1) Porque se fosse absolutamente necessário estar na graça de Deus para fazer orações que lhe fossem agradáveis, aqueles que estão em pecado mortal não deveriam rezar, ainda que precisem mais do que os justos, o que é um erro condenado pela Igreja, e assim nunca seria necessário aconselhar um pecador a rezar o terço ou o Rosário, pois seria inútil.

2) Porque se a pessoa entrar em uma confraria da Santíssima Virgem ou rezar o terço, o Rosário ou qualquer outra oração determinado a permanecer no pecado e sem a intenção de sair dele, ela faria parte do número dos falsos devotos da Santíssima Virgem, dos devotos presunçosos e impenitentes que, sob o manto da Santíssima Virgem, com o escapulário sobre o corpo ou o Rosário na mão, gritam: Santíssima Virgem, boa Virgem, eu vos saúdo, Maria. E, no entanto, crucificam e castigam cruelmente Jesus Cristo com seus pecados, e mesmo no meio das mais santas confrarias da Santíssima Virgem há aqueles que caem nas chamas do inferno.

118. Aconselhamos o Santo Rosário a todos: aos justos para perseverar e crescer na graça de Deus, e aos pecadores para sair de seus pecados. Mas a Deus não agrada que exortemos um pecador a fazer do manto da proteção da Santíssima Virgem um

manto de condenação para esconder seus crimes, e a transformar o Rosário, que é um remédio a todos os males, em um veneno mortal e funesto. Corruptio optimi pessima. É preciso ser um anjo em pureza, diz o sábio Cardeal Hugues, para se aproximar da Santíssima Virgem e rezar a Ave-Maria. Um dia ela mostrou a um impudico, que rezava o Santo Rosário todos os dias, os belos frutos postos em um vaso cheio de lixo; ele se horrorizou e então ela disse: "Eis como você me serve, me apresenta belas rosas em um vaso sujo e corrompido. Avalie se posso tê-las de forma mais agradável".

## 42ª rosa

119. Para rezar corretamente, não basta expressar nossos pedidos por meio do Rosário, que é a forma mais perfeita de oração, também é preciso estar bem concentrado, pois Deus ouve muito mais a voz do coração do que a dos lábios. Rezar com distrações voluntárias seria uma grande irreverência, que tornaria nossos Rosários infrutuosos e nos cobriria de pecados. Como ousamos pedir a Deus que nos escute se não nos escutamos, se enquanto rezamos a essa terrível majestade que a tudo faz tremer paramos voluntariamente para correr atrás de uma borboleta? Isso é o mesmo que afastar de si a bênção desse grande Senhor e transformá-la na maldição lançada contra aqueles que fazem a obra de Deus de forma

negligente: "Maledictus qui facit opus Dei negligenter", ou seja, "Maldito aquele que faz com negligência a obra do Senhor" (Jr 48,10).

120. Na verdade, você não consegue rezar o Rosário sem se distrair com alguma coisa, é difícil rezar uma Ave-Maria sem que sua imaginação sempre irrequieta não desvie a atenção; mas pode rezá-lo sem distrações voluntárias, e deve usar todos os meios para diminuir as involuntárias e controlar a imaginação. Para isso, coloque-se na presença de Deus, acredite que Ele e sua santa Mãe estão olhando para você, que seu bom Anjo está à sua direita e recolhe as Ave-Marias, que quando bem rezadas são como rosas, para fazer uma coroa para Jesus e Maria e, ao contrário, o demônio está à sua esquerda e gira em volta para devorá-las e anotá-las em seu livro de morte, quando não são ditas com atenção, devoção e modéstia; sobretudo não deixe de oferecer as dezenas em honra dos mistérios e de imaginar Nosso Senhor e sua Santíssima Mãe naqueles que você está honrando.

121. Podemos ler na vida do Bem-aventurado Herman, da ordem dos premonstratenses, que enquanto ele rezava e meditava sobre os mistérios do Rosário atenta e devotamente, a Santíssima Virgem aparecia toda radiante de luz, com uma beleza e

majestade encantadoras. Em seguida, no entanto, como sua devoção diminuísse e só rezasse o Rosário apressadamente e sem atenção, ela aparecia como o rosto enrugado, triste e desagradável. Surpreso com tal transformação, ela lhe disse: "Apareço diante de seus olhos como estou em sua alma, pois você só me trata como uma pessoa vil e desprezível. Onde está o tempo em que me saudava com respeito e atenção, meditando sobre meus mistérios e admirando minhas grandezas?"

### 43ª rosa

122. Além de ser a oração mais meritória à alma e mais gloriosa a Jesus e a Maria, o Rosário bem rezado também é a oração mais difícil de rezar e de perseverar, especialmente por causa das distrações que vão surgindo naturalmente pela frequente repetição da mesma prece. Quando se diz o ofício da Santíssima Virgem, ou os salmos penitenciais, ou algumas outras orações do terço ou do Rosário, a mudança e a diversidade dos termos com os quais são concebidos interrompem a imaginação, despertam o espírito e, consequentemente, tornam a reza bem mais fácil para a alma. Mas no Rosário, como sempre são o mesmo Pai-nosso, a mesma Ave-Maria e a mesma forma de dizê-los, é difícil não se entediar, não adormecer e abandoná-lo para fazer outras orações mais vibrantes e menos entediantes. Para perseverar

na reza do Santo Rosário, deve-se ter uma devoção infinitamente maior do que para outra oração, mesmo se forem os salmos de Davi.

123. O que aumenta essa dificuldade é tanto nossa imaginação, pois é tão volátil que não consegue um momento de repouso, quanto a incansável malícia do demônio para nos distrair e nos impedir de rezar. O que é capaz de fazer contra nós enquanto rezamos nosso Rosário contra ele? Aumentar nossa preguiça e nossa negligência naturais. Antes de começar nossa prece, ele aumenta nosso tédio, nossas distrações e nossas preocupações; enquanto o rezamos, nos atormenta de todos os lados, depois de o rezarmos com tantas dificuldades e distrações, ele sussurrará: "Nada do que você disse vale; seu terço ou seu Rosário não valem nada, era melhor trabalhar e se ocupar de suas coisas; está perdendo tempo rezando tantas orações vocais sem atenção; meia hora de meditação ou de boa leitura valeriam mais. Amanhã, você estará menos sonolento, rezará com mais atenção, deixe o restante do Rosário para depois". E com esses artifícios, muitas vezes o diabo nos faz abandonar o Rosário todo ou parte dele, ou trocar por outra oração ou adiá-lo.

124. Caro confrade do Rosário, não acredite no diabo e seja forte, mesmo se ao rezá-lo sua imagina-

ção se encheu de fantasias e de pensamentos extravagantes que você se esforçou para expulsar quando os percebeu. Seu Rosário é tanto melhor quanto mais difícil; é naturalmente tanto mais difícil quanto menos agradável à alma e mais cheio de moscas e formigas miseráveis, que pelo simples fato de correrem daqui para lá na imaginação, mesmo contra sua vontade, não dão à alma o tempo de experimentar o que ela diz e de apreciar a paz.

125. Se tiver de lutar contra as distrações que surgem durante o Rosário, combata valentemente de armas em punho, isto é, continue rezando mesmo sem nenhum prazer nem consolo visíveis: este é um combate terrível, mas salutar à alma fiel. Se baixar as armas, isto é, se abandoná-lo, estará vencido; o diabo que derrotou sua firmeza o deixará então em paz, mas no dia do Juízo Final recriminará sua pusilanimidade e infidelidade. "Qui fidelis est in minimo et in majori fidelis est", ou seja, "Aquele que é fiel nas pequenas coisas também o será nas maiores" (Lc 16,10). Aquele que é fiel ao rejeitar as ínfimas distrações durante as pequenas orações também será fiel nas grandes. Nada é mais certo, uma vez que o Espírito Santo o disse. Coragem! Bom servidor e boa servidora fiel a Jesus Cristo e à Santíssima Virgem que tomou a decisão de rezar o Rosário todos os dias. Que todas essas moscas (é assim que chama-

mos as distrações que guerreiam com você durante a reza), não sejam capazes de fazer com que abandone covardemente a companhia de Jesus e de Maria, com quem você está rezando o Rosário. Mais adiante citarei os meios de diminuir as distrações.

### 44ª rosa

126. Para recitar bem o Rosário, invoque primeiro o Espírito Santo, coloque-se por um momento na presença de Deus e faça a oferenda das dezenas, como explicado mais abaixo. Antes de começar a dezena, pare por um momento, maior ou menor de acordo com seu tempo, a fim de considerar o mistério que será celebrado pela dezena e sempre peça, por meio desse mistério e da intercessão da Santíssima Virgem, uma das virtudes evidenciadas por ele ou da qual você mais precisará. Preste sobretudo atenção nos dois erros mais comuns cometidos por quase todos que rezam o Rosário: o primeiro é o de rezá-lo sem nenhuma intenção, e então quando perguntam por que estão rezando o Rosário não sabem responder. Por isso, ao recitá-lo, tenha sempre em mente alguma graça a ser pedida, alguma virtude a imitar, ou algum pecado a destruir. O segundo erro é não ter nenhuma outra intenção além de terminá-lo o mais rápido possível. Porque as pessoas olham o Rosário como um fardo, cujo peso aumenta ainda mais quando não é rezado; sobretudo quando se fez

dele um princípio de consciência ou quando foi recebido como penitência e contra a vontade.

127. É lamentável a maneira como muitas pessoas rezam o terço ou Rosário. Fazem-no com tanta pressa que até comem as palavras. Não gostaríamos de fazer um cumprimento tão ridículo ao último dos homens, e achamos que Jesus e Maria se sentirão honrados com isso! Sendo assim, não é de se espantar que as mais santas orações da religião cristã permaneçam quase sem nenhum efeito, e que depois de mil ou de dez mil Rosários rezados não somos mais santos? Caro confrade do Rosário, deixe de lado sua pressa natural ao rezá-lo e faça algumas pausas no meio do Pai-nosso e da Ave-Maria, e uma mais breve após as palavras do Pai-nosso e da Ave-Maria. Assinalei essas pausas com uma cruz:

Pai-nosso que estais nos céus † Santificado seja o vosso nome † Venha a nós o vosso reino † Seja feita a vossa vontade † Assim na terra como no céu † O pão nosso de cada dia nos dai hoje † Perdoai-nos as nossas ofensas † Assim como nós perdoamos a quem nos tem ofendido † E não nos deixeis cair em tentação † Mas livrai-nos do mal † Amém.

Ave, Maria, cheia de graça † O Senhor é convosco † Bendita sois vós entre as mulheres, † E bendito é o fruto do vosso ventre, Jesus. † Santa Maria, Mãe de Deus † Rogai por nós, pecadores, agora † e na hora de nossa morte † Amém.

No começo será um pouco difícil realizar essas pausas, por causa do mau hábito de rezá-lo rápido; mas uma dezena assim rezada será mais meritória do que mil Rosários rezados apressadamente, sem reflexão ou pausa.

128. O Bem-aventurado Alain de la Roche e outros autores, entre eles Belarmino, contam que um padre aconselhou a três penitentes – que eram irmãs – a reza diária do Rosário. E que o fizessem devotamente durante um ano a fim de tecer um belo manto de glória para a Santíssima Virgem; e que isso era um segredo que recebera do céu. Elas o rezaram durante um ano. No dia da Purificação, quando já estavam deitadas, a Santíssima Virgem, acompanhada de Santa Catarina e de Santa Agnes, entrou no quarto e vestia um manto radiante de luz sobre o qual estava escrito "Ave Maria gratia plena" em letras douradas; a Rainha dos céus aproximou-se da cama da mais velha e disse: "Eu vos saúdo, minha filha, que tantas vezes e tão bem me saudou. Venho agradecer os belos mantos que você me fez". As duas santas virgens que a acompanhavam também a agradeceram e as três desapareceram. Uma hora depois, mais uma vez a Santíssima Virgem e suas duas companheiras vieram ao quarto. Desta vez ela vestia um manto verde, mas sem ouro e sem luz, aproximou-se do leito da segunda irmã, agradeceu pelo manto que esta lhe fizera ao rezar seu Rosá-

rio. Mas como a moça vira a Santíssima Virgem aparecer à irmã mais velha vestindo um manto muito mais radiante, perguntou-lhe o motivo. "Foi porque", Maria respondeu, "ela me fez os mais belos mantos ao rezar o Rosário melhor do que você". Mais ou menos uma hora depois, a Santíssima Virgem apareceu uma terceira vez à mais jovem das irmãs vestindo um manto esfarrapado e sujo, e disse-lhe: "Ó filha, foi assim que você me vestiu, eu agradeço por isso". A jovem, muito confusa, exclamou: "Nossa! Minha Senhora, por tê-la vestido assim tão mal eu vos peço perdão. Peço mais tempo para fazer um manto mais belo rezando melhor o Rosário". Depois de a visão ter desaparecido e de a irmã mais jovem – que estava muito aflita – ter contado ao seu confessor tudo o que se passara, ele as animou a rezarem o Rosário por mais um ano e com mais dedicação do que nunca, e assim fizeram. No fim do ano, no mesmo dia da Purificação, a Santíssima Virgem, mais uma vez acompanhada de Santa Catarina e de Santa Agnes, que carregavam coroas, e vestida com um manto maravilhoso, apareceu à noite e disse-lhes: "Fiquem tranquilas, milhas filhas, vocês entrarão amanhã no Reino dos Céus com grande alegria". E então as três responderam: "Nosso coração está preparado, nossa querida Senhora, nosso coração está preparado". A visão desapareceu. Nessa mesma noite elas se sentiram mal, mandaram buscar o confessor, receberam os últimos sacramentos e agradeceram pela santa prática que ele lhes ensinara. Depois das Completas, a Santíssima Virgem, acompanhada por um grande número de virgens, apareceu-lhes mais uma vez e fez vestir as três irmãs com mantos brancos; depois elas marcharam enquanto os anjos cantavam: "Venham, esposas de Jesus Cristo, recebam as coroas que lhes foram preparadas na eternidade". Aprendam as várias verdades desta história:

1) O quanto é importante ter bons diretores que inspirem práticas santas de piedade e especialmente o Santo Rosário.

2) O quanto é importante rezá-lo com atenção e devoção.

3) O quanto a Santíssima Virgem é bondosa e misericordiosa para com aqueles que se arrependem do passado e se propõem a fazer melhor.

4) O quanto é generosa para recompensar durante a vida, na hora da morte e na eternidade os pequenos serviços prestados com fidelidade.

## 45ª rosa

129. Acrescento que é preciso rezar o Santo Rosário com modéstia, isto é, se possível de joelhos, com as mãos juntas e segurando o Rosário. Se estiver doente, pode ser rezado na cama; se estiver viajando, é possível rezá-lo andando; se alguma enfermidade o impede de se ajoelhar, é possível rezá-

-lo em pé ou sentado. Outra possibilidade é rezá-lo enquanto se está trabalhando, caso os deveres da profissão impeçam o afastamento da atividade, pois o trabalho manual nem sempre é contrário à oração vocal. Confesso que nossa alma é limitada em sua operação, por isso quando está atenta ao trabalho das mãos está menos atenta às operações do espírito, como no caso de uma oração; se necessário, no entanto, essa oração tem seu valor para a Santíssima Virgem, que recompensa mais a boa vontade do que a ação externa.

130. Eu os aconselho a dividir o Rosário em três terços ou em três diferentes tempos ao longo do dia; é melhor dividi-lo assim do que rezá-lo de uma só vez. Se não conseguir encontrar tempo suficiente para rezar o terço, diga uma dezena aqui outra ali; apesar de todas suas ocupações e tarefas, você poderá dividi-lo de tal forma que ele estará completo antes de se deitar. Imite a fidelidade de São Francisco de Sales. Ao sair bastante cansado das visitas que fizera durante o dia, e como já era quase meia-noite, lembrou-se que faltava rezar algumas dezenas de seu Rosário; ajoelhou-se e as rezou antes de se deitar, apesar de tudo o que seu esmoleiro, que o via cansado, lhe dissera para convencê-lo a rezar no dia seguinte as dezenas que faltavam. Imite também a fidelidade, a modéstia e a devoção desse santo religioso citado nas crônicas

de São Francisco, que antes do jantar costumava recitar um terço com muito mais atenção e modéstia. Falei sobre ele mais acima.

### 46ª rosa

131. De todas as maneiras de rezar o Santo Rosário, a mais gloriosa a Deus, a mais salutar à alma e a mais terrível ao diabo, é cantá-lo ou rezá-lo publicamente em dois coros. Deus ama as assembleias. Todos os anjos e os bem-aventurados reunidos no céu cantam incessantemente seus louvores. Os justos reunidos em várias comunidades na terra rezam juntos dia e noite. Nosso Senhor aconselhou expressamente essa prática a seus apóstolos e discípulos, e prometeu-lhes que sempre que pelo menos dois ou três estivessem reunidos em seu nome, para orar em seu nome e recitar a mesma oração, ele estaria no meio deles. Quanta felicidade ter Jesus Cristo em sua companhia! Para obtê-la basta se reunir para rezar o terço. Essa é a razão pela qual os primeiros cristãos se reuniam com tanta frequência para orar juntos, apesar das perseguições dos imperadores que lhes proibiam a reunião. Preferiam se expor à morte do que faltar à assembleia para ter a companhia de Jesus Cristo.

132. Essa maneira de rezar é mais saudável à alma:

1) Porque normalmente o espírito fica mais atento em uma oração pública do que em uma oração individual.

2) Quando rezamos juntos, as preces de cada indivíduo tornam-se comuns a toda a assembleia e se transformam em uma única prece, de forma que se na assembleia alguém não rezar tão bem, um outro que reza melhor compensará essa falta. O forte apoia o fraco, o fervoroso aquece o morno, o rico enriquece o pobre, o mau passa entre o bom. Como vender uma medida de joio? Para isso basta misturá-la a quatro ou cinco medidas de bom trigo; e pronto!

3) Uma pessoa que reza o terço sozinha tem o mérito de apenas um terço; mas quando o reza com mais trinta pessoas, tem o mérito de trinta terços. Essas são as leis da reza pública. Quanto ganho! Quantas vantagens!

4) Urbano VIII, muito satisfeito com a devoção ao Santo Rosário rezado em dois coros e em vários lugares de Roma, particularmente no Convento da Minerva, concedeu cem dias de indulgências sempre que ele fosse rezado dessa forma: Toties quoties. O seu breve começa com as seguintes palavras: Ad perpetuum rei memoriam, an 1626. Assim, todas as vezes que o terço é rezado em comum, ganham-se cem dias de indulgências.

5) É que essa oração pública é mais poderosa para apaziguar a cólera de Deus e atrair sua misericórdia do que a oração individual; e a Igreja, conduzida pelo Espírito Santo, serviu-se dela em todos as épocas de calamidade e de misérias públicas. Em sua bula, o Papa Gregório XIII declara que é preciso acreditar piedosamente que as orações públicas e as procissões dos confrades do Santo Rosário contribuíram muito para que os cristãos obtivessem de Deus a importante vitória sobre a marinha dos turcos no golfo de Lepanto, no 1º domingo de outubro de 1571.

133. Durante o cerco à La Rochelle, onde os hereges mantinham seus fortes, Luís o Justo, de feliz memória, escreveu à rainha-mãe pedindo que fizessem orações públicas para a prosperidade de seus exércitos. A rainha decidiu que o Rosário fosse rezado publicamente na igreja dos irmãos pregadores no *faubourg* Saint-Honoré em Paris; decisão executada pelos cuidados do arcebispo. Essa devoção foi iniciada em 20 de maio de 1628. A rainha-mãe e a rainha participaram das orações bem como o arcebispo, o duque de Orléans, os cardeais de la Rochefoucault e de Bérulle, vários prelados, toda a corte e uma multidão incalculável. O arcebispo lia em voz alta as meditações sobre os mistérios do Rosário, em seguida começava o Pai-nosso e as Ave-Marias de cada dezena,

os religiosos e os assistentes respondiam; depois do Rosário, levava-se a imagem da Santíssima Virgem em procissão, cantando suas litanias. Continuaram essa devoção todos os sábados com um admirável fervor e uma evidente bênção do céu, pois o rei venceu os ingleses na Ilha de Ré e entrou vitorioso em La Rochelle, no Dia de Todos os Santos do mesmo ano. Vemos assim qual é a força da oração pública.

134. Por fim, o Rosário rezado em grupo é muito mais terrível ao demônio, pois forma-se dessa maneira um exército para atacá-lo. Por vezes ele vence com mais facilidade a oração de um indivíduo, mas tem mais dificuldade quando ela se soma à dos outros. É fácil quebrar um galho, mas quando juntos formam um feixe e não se pode mais quebrá-lo. "Vis unita fit fortior." No exército, os soldados se reúnem em unidades para derrotar seus inimigos; os maus geralmente se reúnem para suas devassidões, suas danças; os próprios demônios se reúnem para nos perder; por que então os cristãos não se reúnem para ter a companhia de Jesus Cristo, para apaziguar a cólera de Deus, para atrair sua graça e sua misericórdia, e para vencer e aniquilar de forma mais poderosa os demônios? Caro confrade do Rosário, se você mora na cidade ou no campo, próximo da igreja paroquial ou de uma capela, vá ao menos todas as noites, com

a permissão do responsável pela paróquia e na companhia de todos aqueles que assim desejarem, para rezar o terço em dois coros; se não tiver a comodidade da igreja ou da capela, faça a mesma coisa na sua casa ou na de outra pessoa.

135. Esta é uma santa prática que Deus, com sua misericórdia, estabeleceu nos lugares onde participei de algumas missões a fim de conservar e de aumentar seu fruto, de impedir o pecado. Antes de o terço ser estabelecido, nesses burgos e aldeias só se viam danças, devassidões, dissoluções, imodéstias, juramentos, querelas, divisões; só se ouviam canções desonestas, letras com duplo sentido. Agora só se ouvem o canto dos cânticos e a reza do Pai-nosso e da Ave-Maria; só se veem santas reuniões com 20, 30, 100 ou mais pessoas que, como os religiosos, cantam em determinada hora os louvores de Deus. Há até lugares onde todos os dias o Rosário é rezado em grupo, um terço de cada vez em três momentos do dia. Que bênção do céu! Como os réprobos estão por toda parte, não duvide de que até onde você mora há pessoas más que negligenciarão a reza do terço, e que talvez se unam e zombem dessa prática para impedir que você continue esse santo exercício; mas aguente firme. Como no inferno esses infelizes serão para sempre apartados de Deus e de seu paraíso, é preciso

que já aqui nesta terra se afastem da companhia de Jesus Cristo e de seus servos e servas.

### 47ª rosa

136. Povo de Deus, almas predestinadas, afastem-se dos maus, e para escapar e se distanciar da companhia daqueles que se condenam pela impiedade, pela falta de devoção ou preguiça, não percam tempo e rezem o Santo Rosário com fé, humildade, confiança e perseverança. Qualquer um que pense profundamente na recomendação de Jesus Cristo de rezar sempre, assim como Ele fazia; nas infinitas necessidades que temos da oração por causa das trevas, das ignorâncias, das fraquezas e do grande número de inimigos, certamente não se contentará em rezar o Rosário só uma vez por ano – como recomendado pela confraria do Rosário perpétuo; nem todas as semanas – como prescrito pelo Rosário ordinário; mas o rezará todos os dias sem perder um – assim como determina o Rosário cotidiano, ainda que não tenha outra obrigação que a da sua salvação. Devemos orar sempre, e nunca deixar de orar.

137. São essas as palavras eternas de Jesus Cristo. É preciso acreditar nelas e praticá-las para não ser condenado. Explique-as como quiser, desde que não o faça de acordo com os tempos, para só praticá-las de acordo com os tempos. Jesus nos deu sua ver-

dadeira explicação nos exemplos deixados: "Exemplum dedi vobis, ut quemadmodum ego feci, ita et vos faciatis" (Jo 13,15). "Erat pernoctans in oratione Dei" (Lc 6,12). Como se seus dias não fossem longos o bastante, também rezava à noite. Repetia sempre a seus apóstolos essas duas palavras: "Vigilate et orate". Vigiai e orai. A carne é fraca, a tentação está por todo lado e é constante. Se não rezar sempre, você cairá. Aparentemente acreditaram que o que Nosso Senhor lhes dizia não passava de um conselho, interpretaram as palavras de acordo com os tempos, por isso caíram na tentação e no pecado, mesmo estando na companhia de Jesus Cristo.

138. Caro confrade, se quiser viver de acordo com os tempos e se condenar de acordo com os tempos, isto é, vez ou outra cair no pecado mortal e depois se confessar, evitar os pecados grosseiros e escandalosos, conservar os honestos, não precisa fazer tantas orações, rezar tantos Rosários; uma pequena prece de manhã e à noite, alguns terços dados como penitência, algumas dezenas de Ave-Marias em um terço rezado de forma inconsequente e distraída, também não é preciso muito mais do que isso para viver como uma pessoa honesta. Se fizer menos, será considerado libertino; se fizer mais, excêntrico e beato.

139. Mas se, como bom cristão que quer se salvar de verdade e seguir os passos dos santos, não quer cair no pecado mortal, deseja destruir todas as armadilhas e apagar todas as flechas flamejantes do diabo, precisa então rezar como Jesus Cristo ensinou e ordenou. Deve ao menos rezar o Rosário todos os dias ou algumas orações equivalentes. E digo ao menos, pois tudo o que conseguirá ao rezá-lo todos os dias será evitar todos os pecados mortais e vencer todas as tentações, no meio das torrentes de iniquidade do mundo que muitas vezes arrastam os mais fortes, cercado pelas trevas espessas que muitas vezes cegam os mais iluminados, pelos espíritos malignos que, mais astutos do que nunca e com menos tempo para tentar, tentam com mais astúcia e sucesso. Oh! Quão maravilhosa a graça do Santo Rosário, se você escapar do mundo, do diabo, da carne, do pecado e se salvar no céu!

140. Se não quiser acreditar no que digo, creia em sua própria experiência. Pergunto-lhe se, quando só fazia as poucas orações que todos fazem e da maneira como normalmente as fazem, conseguia evitar os pesados erros e os pecados que considerava leves só por causa da sua cegueira. Abra então os olhos. E para viver e morrer como santo sem pecado, pelo menos mortal, reze sempre; reze todos os dias o Rosário, como faziam todos os confrades nos tempos

do estabelecimento da confraria (cf. no fim deste livro a prova do que digo). A Santíssima Virgem ao dá-lo a São Domingos ordenou que o rezasse e o fizesse rezar todos os dias; por isso o santo só recebia na confraria quem estivesse decidido a rezá-lo diariamente. Se hoje a confraria do Rosário ordinário pede que se reze apenas um Rosário por semana, é porque o fervor diminuiu, a caridade esfriou. Tira-se o que é possível de um mau rezador. Non fuit ab initio sic. Preciso fazer algumas observações.

141. Em primeiro, se quiser ingressar na confraria do Rosário diário e participar das preces e dos méritos daqueles que ali estão, não basta fazer parte da confraria do Rosário ordinário ou decidir rezá-lo todos os dias. É preciso também dar seu nome aos que têm o poder de inscrevê-lo. É bom se confessar e comungar com essa intenção; a razão para isso é que o Rosário ordinário não inclui o Rosário diário, mas este inclui o Rosário ordinário. Não se comete nenhum pecado, nem mesmo venial, ao deixar de rezar o Rosário todos os dias, todas as semanas ou todos os anos. Se uma doença ou um compromisso legítimo, uma necessidade ou um esquecimento involuntário o impedirem de rezá-lo, você não deixa de ter o mérito e não perde a participação nos Rosários rezados pelos outros confrades; assim como não

é absolutamente necessário que no dia seguinte você r03 reze dois Rosários para completar aquele que – como eu suponho – deixou de rezar involuntariamente. No entanto, se a doença só permite que reze uma parte do Rosário, faça-o. Beati qui stant coram te semper. Beati qui habitant in domo tua, Domine, in saecula saeculorum laudabunt te. Bem-aventurado, Senhor Jesus, os confrades do Rosário diário que todos os dias estão em volta e dentro de vossa pequenina casa de Nazaré, ao pé de vossa cruz no Calvário, e em volta de vosso trono nos céus, para merecer e contemplar vossos mistérios gozosos, dolorosos e gloriosos. Oh! Como são felizes na terra pelas graças especiais que vós lhes dareis, e como serão bem-aventurados no céu onde vos louvarão de uma maneira especial nos séculos dos séculos.

142. Em segundo, é preciso rezar o Rosário com fé, segundo as palavras de Jesus Cristo: "Credite quia accipietis et fiet vobis". "Creia e recebereis de Deus o que lhe foi pedido", e Ele o atenderá. Ele lhe dirá: "Sicut credidisti, fiat tibi", ou seja, "Que seja feito como você acreditou". "Si quis indiget sapientiam, postulet a Deo; postulet autem in fide nihil haesitans" (Tg 1,6): Se alguém precisa da sabedoria, que a peça a Deus, com fé, sem hesitar, rezando o Rosário, e ela lhe será dada.

143. Em terceiro, é preciso rezar com humildade, como o publicano; ele estava ajoelhado com os dois joelhos no chão e não com um joelho levantado ou apoiado em um banco como os orgulhosos mundanos; estava no fundo da igreja e não no santuário como o fariseu; tinha os olhos voltados para o chão, pois não ousava olhar para o céu, e não a cabeça levantada olhando de um lado para o outro como o fariseu; batia em seu peito, confessando-se pecador e pedindo perdão: "Propitius este mihi peccatori" (Lc 18,13), e não como o fariseu, que desprezava os outros em suas orações. Fuja da orgulhosa prece do fariseu que o tornou mais endurecido e mais amaldiçoado, mas imite a humildade do publicano em sua prece que lhe obtém a remissão de seus pecados. Evite enveredar pelo extraordinário, pedir ou mesmo desejar conhecimentos extraordinários, visões, revelações e outras graças milagrosas, que algumas vezes Deus comunicou a alguns santos durante a reza do terço e do Rosário. Sola fides sufficit: só basta a fé, pois agora o Evangelho e todas as devoções e práticas de piedade estão suficientemente estabelecidos. Quando rezar o Rosário nunca omita as securas, os desgostos e os desamparos interiores, pois isso seria uma marca de orgulho e de infidelidade; mas como um bravo campeão de Jesus e de Maria – que nada vê, sente ou experimenta – diga secamente seu Pai-nosso e a Ave-Maria, meditando o melhor que pu-

der sobre os mistérios. Não deseje a bala e as geleias das crianças para comer o seu pão diário; e quando sentir mais dificuldade para rezá-lo, faça-o mais devagar para imitar a agonia de Jesus Cristo com mais perfeição: "Factus in agonia prolixius orabat" (Lc 22,43), para que se possa dizer sobre você o mesmo que foi dito sobre Jesus quando estava na agonia da prece: ele rezava por mais tempo.

144. Em quarto lugar, reze com muita confiança, pois esta se fundamenta na bondade e na generosidade infinitas de Deus e nas promessas de Jesus Cristo. Deus é uma fonte de água viva que corre constantemente no coração daqueles que oram. Jesus é o seio do Pai eterno cheio do leite da graça e da verdade. O maior desejo do Pai eterno em relação a nós é nos comunicar as águas salutares de sua graça e de sua misericórdia, por isso exclama: "Omnes sitientes venite ad aquas" (Is 55): "Venham beber minhas águas pela oração"; e quando não rezamos, lamenta-se porque o abandonamos: "Me dereliquerunt fontem aquae vivae" (Jr 2,13). Agradamos a Jesus quando lhe pedimos suas graças, e o prazer que lhe proporcionamos é ainda maior do que o dado a uma mãe cujos seios cheios de leite são sugados. A prece é o canal da graça de Deus e a teta dos seios de Jesus. Quando não os sugamos pela prece como devem fazer todos os filhos de Deus, Ele se lamenta amorosamente: "Us-

que modo non petistis quidquam, petite et accipietis, quaerite et invenietis, pulsate et aperietur vobis" (Mt 7,7). Até aqui nada me foi pedido. Ah! Pedi e recebereis; buscai e achareis; batei e vos será aberto. Além do mais, para nos dar ainda mais confiança para pedir, empenhou sua palavra: que o Pai eterno nos daria tudo o que pedíssemos em seu nome.

### 48ª rosa

145. Em quinto lugar, mas à nossa confiança acrescentamos a perseverança na oração. Só quem perseverar em pedir, em buscar e em bater, receberá, encontrará e entrará. Não basta pedir algumas graças a Deus durante um mês, um, dez, vinte anos; não devemos nos aborrecer e nem desistir, é preciso pedir até a hora da morte e estar decidido a obter o que lhe pedimos para a salvação ou a morrer, e é preciso encontrar a morte com a perseverança na oração e a confiança em Deus e dizer: "Etiam si occident me, sperabo in eum". "Mesmo que me mate, esperarei nele e dele o que lhe peço".

146. Por meio de seus favores, a generosidade dos grandes e ricos deste mundo surge para ajudar aqueles que dela precisam antes mesmo que lhes peçam; mas Deus, ao contrário, mostra sua magnificência ao fazer com que procuremos e peçamos por muito tempo as graças que Ele deseja nos dar, quanto mais

preciosa é a graça que Ele quer nos dar, mais tempo leva para concedê-la:

1) Para assim aumentá-la ainda mais.

2) Para que a pessoa que a receberá tenha por ela uma grande estima.

3) Para que evite perdê-la depois de tê-la recebido; pois não se estima muito o que se ganha em pouco tempo e com pouco custo.

Persevere, pois, meu caro confrade do Rosário, em pedir a Deus por meio do Santo Rosário todas as suas necessidades espirituais e corporais, e particularmente a divina Sabedoria que é um tesouro infinito: "Thesaurus est infinitus" (Sb 7,14), e cedo ou tarde com certeza a obterá, desde que no meio do caminho não o abandone e não perca a coragem. "Grandis enim tibi restat via" (1Rs 19,7). Pois antes de ter reunido os tesouros da eternidade, ainda tem um longo caminho pela frente, muitas tempestades, muitas dificuldades a superar, muitos inimigos a aniquilar, muitos Pai-nossos e Ave-Marias para comprar o paraíso e ganhar a bela coroa reservada a um fiel confrade do Rosário. "Nemo accipiat coronam tuam", não deixe um outro mais fiel do que você em rezar o Rosário pegá-la. "Coronam tuam", ela era sua; Deus a havia preparado, ela era sua; você já a tinha conquistado com os Rosários bem rezados. "Currebatis bene" (Gl 5,7), e como parou em tão belo caminho por onde corria tão bem, um outro passou na sua frente, chegou em primeiro lugar; um outro mais diligente e mais fiel adquiriu e pagou com o Rosário e as boas obras o que era necessário para obter essa coroa. "Quid vos impedivit" (Gl 5,7), quem o impediu de ter a coroa do Santo Rosário? Infelizmente, os incontáveis inimigos do Santo Rosário!

147. Acredite-me, só os violentos a arrebatam à força: "Violenti rapinum" (Mt 11,12). Essas coroas não são para os tímidos que temem as zombarias e as ameaças do mundo. Não são para os preguiçosos e indolentes que só rezam o Rosário com negligência ou pressa, ou por desencargo de consciência, ou de tempos em tempos, segundo sua imaginação. Essas coroas não são para os poltrões que desanimam e abaixam as armas quando veem todo o inferno enraivecido contra o Rosário. Se desejar, caro confrade do Rosário, comece a servir Jesus e Maria recitando o Rosário todos os dias, prepare sua alma à tentação: "Accedens ad servitutem Dei, prepara animam tuam ad tentationem" (Eclo 2,1). De acordo com sua natureza corrompida e com todo o inferno, os hereges, os libertinos, os honestos do mundo, os quase devotos e os falsos profetas travarão terríveis combates para que abandone essa prática.

148. Para alertá-lo contra os ataques – não dos hereges e dos libertinos assumidos, mas das pessoas

honestas segundo o mundo, e das pessoas até mesmo devotas que não gostam dessa prática –, quero simplesmente relatar um pouco do que pensam e dizem todos os dias: "Quid vult seminiverbius ille? Venite, opprimamus eum, contrarius est enim" etc. O que esse grande rezador de terços e de Rosários está dizendo, o que está sempre murmurando? Que preguiça! Não faz nada além de rezar, seria melhor trabalhar, nem se diverte com tantas carolices. É isso mesmo sim! Basta rezar o Rosário e as gaivotas assadas cairão do céu; o Rosário nos traz o jantar. O bom Deus diz: Ajude-se, eu o ajudarei. Para que se sobrecarregar com tantas preces? Brevis oratio penetrat coelos; un Pater et un Ave bien dits suffisent. O bom Deus não nos pediu o terço nem o Rosário; é bom, mas quando temos tempo, e nem deixaremos de ser salvos por isso. Quantos santos que nunca o rezaram? Há pessoas que julgam todos pela sua régua, há indiscretos que levam tudo a ferro e fogo, há escrupulosos que colocam o pecado onde não existe. Dizem que todos aqueles que não rezarem o Rosário serão condenados, que rezar o terço é bom para as velhas, ignorantes, que não sabem ler. Rezar o Rosário? Mais vale rezar o Ofício da Santíssima Virgem ou recitar os salmos penitenciais? E há algo mais belo do que os salmos que o Espírito Santo ditou? Você começa rezando o Rosário todos os dias; fogo de palha, não vai durar muito tempo; não seria melhor rezar menos e ser mais fiel? Vá, meu caro amigo, acredite-me, faça bem sua prece à noite e de manhã e trabalhe para Deus durante o dia, Deus não pede mais do que isso. Se não tivesse, como na verdade tem, a vida para ganhar, ainda vá lá, você poderia se comprometer a rezar o Rosário; se quiser, pode rezá-lo aos domingos e nos dias de festa, mas não nos dias úteis, pois deve trabalhar. O quê? Carregar um enorme terço de mulherzinha! Vi vários, vale tanto quanto um de quinze dezenas. O quê? Carregar o terço na cintura, que carolice; aconselho a colocá-lo em volta do pescoço, como fazem os espanhóis; são grandes rezadores do terço, carregam um grande terço em uma mão, enquanto na outra uma adaga para atacar um traidor. Deixe para lá essas devoções exteriores, a verdadeira está no coração etc.

149. Várias pessoas astutas e importantes doutores, mas libertinos e orgulhosos, não aconselharão o Santo Rosário; indicarão muito mais a reza dos salmos penitenciais ou algumas outras orações. Se algum bom confessor lhe deu como penitência rezar um Rosário durante quinze dias ou um mês, basta procurar um outro para que seja trocada por outras orações, jejuns, missas ou esmolas. Se consultar alguns diretores espirituais, e há tantos no mundo, que por experiência própria não conhecem a excelência do Rosário, não apenas não o aconselharão como

tentarão indicar a contemplação, como se o Rosário e a contemplação fossem incompatíveis, como se tantos santos devotos do Rosário não tivessem experimentado a mais sublime contemplação. Quanto mais próximos estiverem os inimigos, mais cruel será o ataque sofrido. Ou seja, as forças de sua alma e os sentidos de seu corpo, as distrações do espírito, a falta de vontade, as securas do coração, as preocupações e as doenças do corpo, tudo isso somado à ação dos espíritos malignos dirão: "Abandone o Rosário, é ele que te faz mal; abandone o Rosário, não é pecado não o rezar; reze só uma parte, suas dores demonstram que Deus não quer que o reze; faça isso amanhã quando estiver mais disposto etc."

150. Por fim, meu caro confrade, o Rosário cotidiano tem tantos inimigos que considero como um dos mais evidentes favores de Deus o fato de perseverar até a hora da morte. Persevere, e por sua fidelidade terá uma magnífica coroa que está sendo preparada no céu: "Esto fidelis usque ad mortem et dabo tibi coronam" (Ap 2,10).

### 49ª rosa

151. Para que ao rezar o Rosário você ganhe as indulgências concedidas aos confrades do Santo Rosário, é recomendável fazer algumas observações sobre elas. Em geral, a indulgência é uma remissão

ou relaxamento das penas temporais devidas para os pecados atuais pela aplicação das generosas satisfações de Jesus Cristo, da Santíssima Virgem e de todos os santos, que estão guardadas nos tesouros da Igreja. A indulgência plenária é uma remissão de todas as penas devidas pelo pecado; a não plenária, de mais ou menos cem a mil anos, é a remissão da quantidade de penas que poderiam ser expiadas durante esses espaços de tempo, se o tempo de penitência recebido fosse proporcional aos antigos cânones da Igreja. Mas estes ordenavam para um único pecado mortal sete e algumas vezes dez ou quinze anos de penitência, de forma que uma pessoa que tivesse cometido vinte pecados mortais deveria cumprir no mínimo sete vezes vinte anos de penitência, e assim por diante.

152. Para que os confrades do Rosário ganhem as indulgências, devem:

1º) Ser verdadeiramente penitentes, ter confessado e comungado, de acordo com as bulas das indulgências.

2º) Não devem ter nenhuma simpatia pelo pecado venial, pois se esta permanecer a culpa permanece, e se esta permanece a pena não pode ser remida.

3º) É preciso que façam as orações e as outras boas obras marcadas pela bula; e se, segundo a intenção dos papas, é possível ganhar uma indulgência não plenária, por exemplo de cem anos, sem ganhar a plenária, nem sempre é necessário para ganhá-las ter confessado e comungado, como são as indulgências ligadas à reza do terço e do Rosário, às procissões, aos rosário bentos etc. Não as negligenciem.

153. Flammin e um grande número de autores relatam que Alexandra, uma moça de boa família, convertera-se milagrosamente e ingressara na confraria do Rosário por obra de São Domingos. Depois de morrer ela apareceu e disse-lhe que, pelos vários pecados que cometera e fizera cometer por suas vaidades mundanas, fora condenada a setecentos anos de purgatório, pediu-lhe para aliviá-la e para que as orações dos confrades do Rosário a aliviassem, o que ele fez. Quinze dias depois, apareceu novamente e mais radiante do que o sol, pois fora libertada imediatamente pelas orações feitas pelos confrades. Também anunciou a São Domingos que falava em nome das almas do Purgatório, e pedia-lhe que continuasse a pregar o Rosário e convencesse os familiares a fazer parte dos Rosários delas, com os quais os recompensariam muito quando avançassem na glória.

154. Para facilitar a prática do Santo Rosário, há alguns métodos para rezá-lo de forma santa, como

a meditação sobre os mistérios gozosos, dolorosos e gloriosos de Jesus e de Maria. Façam uma pausa naquela que mais o agradar, mas você poderá criar seu próprio método, como vários santos fizeram.

# Índice

*Sumário*, 5

Rosa branca, 7

Rosa vermelha, 9

Roseira mística, 11

Botão de rosa, 12

Primeira dezena – A perfeição do Santo Rosário em sua origem e em seu nome, 14

    1ª rosa, 14

    2ª rosa, 15

    3ª rosa, 17

    4ª rosa, 21

    5ª rosa, 23

    6ª rosa, 25

    7ª rosa, 27

    8ª rosa, 28

    9ª rosa, 32

    10ª rosa, 33

Segunda dezena – A perfeição do Santo Rosário nas orações que o compõem, 36

    11ª rosa, 36

12ª rosa, 38

"Pai nosso que estais nos céus", 41

"Santificado seja o vosso nome", 41

"Venha a nós o vosso reino", 42

"Seja feita a vossa vontade, assim na terra como no céu", 42

"O pão nosso de cada dia nos dai hoje", 42

"Perdoai-nos as nossas ofensas, assim como nós perdoamos a quem nos tem ofendido", 43

"E não nos deixeis cair em tentação", 44

"Mas livrai-nos do mal", 44

"Amém", 44

13ª rosa, 44

14ª rosa, 45

15ª rosa, 48

16ª rosa, 49

17ª rosa, 52

18ª rosa, 55

19ª rosa, 56

20ª rosa – Breve explicação da Ave-Maria, 59

Terceira dezena – A perfeição do Santo Rosário na meditação sobre a vida e a paixão de Nosso Senhor Jesus Cristo, 63

21ª rosa – Os quinze mistérios do Rosário, 63

22ª rosa – Com a meditação sobre os mistérios imitamos Jesus, 66

23ª rosa – O Rosário, memorial da vida e da morte de Jesus, 68

24ª rosa – A meditação sobre os mistérios do Rosário é um grande meio de perfeição, 71

25ª rosa – Riquezas de santificação contidas nas orações e nas meditações sobre o Rosário, 73

26ª rosa, 76

27ª rosa, 79

28ª rosa, 83

29ª rosa, 86

30ª rosa, 88

Quarta dezena – A perfeição do Santo Rosário nas maravilhas operadas por Deus em seu benefício, 92

31ª rosa, 92

32ª rosa, 94

33ª rosa, 95

34ª rosa, 101

35ª rosa, 102

36ª rosa, 103

37ª rosa, 104

38ª rosa, 106

39ª rosa, 107

40ª rosa, 108

Quinta dezena – A maneira santa de rezar o Rosário, 110

41ª rosa, 110

42ª rosa, 113

43ª rosa, 115

44ª rosa, 118

45ª rosa, 122

46ª rosa, 124

47ª rosa, 129

48ª rosa, 136

49ª rosa, 141

Conecte-se conosco:

**f** facebook.com/editoravozes

[O] @editoravozes

X @editora_vozes

▶ youtube.com/editoravozes

(☏) +55 24 2233-9033

## www.vozes.com.br

Conheça nossas lojas:

### www.livrariavozes.com.br

Belo Horizonte – Brasília – Campinas – Cuiabá – Curitiba
Fortaleza – Juiz de Fora – Petrópolis – Recife – São Paulo

**EDITORA VOZES LTDA.**
Rua Frei Luís, 100 – Centro – Cep 25689-900 – Petrópolis, RJ
Tel.: (24) 2233-9000 – E-mail: vendas@vozes.com.br